ПЁТР І

ЕВГЕНИЙ РЫСС

# ПЁТР И ПЁТР

The vocabulary is based on
Schacht/Vangmark: Russian-English Basic Dictionary
Schacht/Vangmark: Russisk-Dansk Grundordbog

Editors
Sigrid Schacht, Denmark
Helge Vangmark, Denmark

Illustrations: Oskar Jørgensen

© 1975 by ASCHEHOUG/ALINEA
ISBN Denmark 978-87-23-90461-4
www.easyreader.dk

Easy Readers EGMONT

Printed in Denmark by
Sangill Grafisk Produktion, Holme Olstrup

## ЕВГЕ́НИЙ САМО́ЙЛОВИЧ РЫСС

роди́лся в 1908 году́ в Ха́рькове. В 1924
году́ он поступи́л в Ленингра́дский инсти-
ту́т исто́рии иску́сств, но не око́нчил его́.
Пото́м не́сколько лет Е. Рысс рабо́тал в
реда́кциях ра́зных газе́т на Кавка́зе и в
Сре́дней Азии. Зате́м он верну́лся в Ленин-
гра́д и на́чал там вме́сте со Все́володом
Воево́диным писа́ть пье́сы и по́вести. Не-
задо́лго до войны́ основны́м жа́нром Евге́-
ния Ры́сса ста́ла про́за для дете́й. Все его́
кни́ги по́лны де́йствия. Все его́ геро́и –
живы́е, настоя́щие лю́ди, хотя́ и пока́заны
в необыкнове́нных обстоя́тельствах.

Мир Евге́ния Ры́сса не чёрно-бе́лый как
ины́е фи́льмы и́ли рома́ны и по́вести о при-
ключе́ниях. Мир, в кото́рый вво́дит нас
а́втор, вели́к, многоцве́тен и я́рок. Почти́ в
ка́ждой его́ кни́ге уча́ствуют де́ти, и а́втор
не жале́ет ме́ста на описа́ние чувств и
мы́слей свои́х геро́ев.

Рысс вме́сте с Воево́диным написа́л сле́-
дующие произведе́ния: «Слепо́й гость»
(1938), «До́мик на боло́те» (1959). По́вести
«Слу́чай в интерна́те» (1961), о пробле́мах
воспита́ния дете́й, и «Пётр и Пётр» (1972)
и други́е.

Наибо́лее значи́тельное произведе́ние
Ры́сса – рома́н «Ше́стеро вы́шли в путь»
(1959) – о пе́рвом поколе́нии люде́й, кото́-
рое вы́росло по́сле револю́ции и гражда́н-
ской войны́, о конфли́ктах в сло́жной обста-
но́вке э́того вре́мени.

спа́льня

# 1

Нас бы́ло че́тверо\*, и мы называ́ли друг дру́га бра́тьями – но бра́тьями не́ были.

В 1942 году́ солда́ты в ра́зных места́х нашли́ нас. Нам бы́ло го́да по́ два, по́ три, и мы попа́ли в де́тский дом. Как нас нашли́, где и при каки́х обстоя́тельствах, мы зна́ем то́лько по расска́зам.

Коне́чно, никто́ из нас не по́мнит свои́х роди́телей. Но мы все по́мним Афана́сия Семёновича, дире́ктора де́тского до́ма. Мы о́чень люби́ли его́, хотя́ и стро́гим быва́л он ужа́сно. Но зато́ ка́ждый ве́чер, как бы он ни уста́л, как бы мно́го дел у него́ ни бы́ло, обяза́тельно пройдёт по спа́льням\* и ка́ждому ска́жет два-три сло́ва, одея́ло попра́вит, и свет вы́ключит.

Так как дня рожде́ния своего́ мы не зна́ли, нам да́ли о́бщий день рожде́ния – 7 сентября́, и когда́ нам бы́ло по пятна́дцати лет, Афана́сий Семёнович посове́товал нам встреча́ться ка́ждый год и отмеча́ть вме́сте день рожде́ния – где бы мы ни оказа́лись. Об э́том мы и договори́лись.

По́сле де́тского до́ма мы реши́ли получи́ть вы́сшее образова́ние. Юра поступа́л в индустриа́льный институ́т и попа́л, Серге́й – на биологи́ческий факульте́т, и я – на журнали́стский. То́лько Пе́тьке\* не повезло́. Он то́же поступа́л в индустриа́льный, но не поступи́л. Мы сове́товали ему́ позанима́ться год и

---

\* че́тверо: 4
\* Пе́тька: Пётр (в расска́зе то́же Пе́тя и́ли «Пету́х»)

поступа́ть ещё раз, но Пе́тька не захоте́л. То ли хара́ктер у него́ сла́бым оказа́лся, то ли оби́дно бы́ло ему́, что мы тро́е прошли́, а он оди́н почему́-то вдруг не прошёл.

Пе́тька нам сказа́л, что како́й-то па́рень о́чень его́ в Энск зовёт. Там, на заво́де, рабо́тает оте́ц э́того па́рня, и он, мол, Пе́тьку с удово́льствием устро́ит на заво́д.

зажига́лка

Мы купи́ли на па́мять Пе́тьке замеча́тельную зажига́лку*. Я таки́х зажига́лок бо́льше за всю жизнь не ви́дел. Там был рису́нок – челове́к с револьве́ром в руке́! Зажига́лку мы подари́ли Пе́тьке на вокза́ле, когда́ его́ провожа́ли. Настрое́ние у всех бы́ло хоро́шее, все смея́лись, жела́ли друг дру́гу успе́ха.

Так Пётр отпра́вился в Энск. Пото́м написа́л, что поступи́л на заво́д и получи́л ко́мнату в но́вом до́ме. 7 сентября́ написа́л, что прие́хать не смо́жет потому́, что о́тпуск* ему́ даю́т то́лько в октябре́.

Жизнь у ка́ждого из нас шла дово́льно успе́шно. И ка́ждый год 7 сентября́ мы тро́е собира́лись. И ка́ждый год получа́ли от Пе́тьки большо́е письмо́. Сам он всё-таки ни ра́зу не прие́хал. То не дава́ли и́менно в сентябре́ о́тпуск, то предстоя́ли вы́боры в райо́нный сове́т. Во вся́ком слу́чае, писа́л он, на за-

---

* о́тпуск: свобо́дное от рабо́ты вре́мя для о́тдыха

во́де он не после́дний челове́к: он член* заводско́го комите́та, портре́т его́ виси́т на Доске́ почёта*. А пото́м он жени́лся на рабо́тнице того́ же заво́да, То́не, и поэ́тому прие́хать не мог. По́зже он ждал ребёнка и не мог оста́вить жену́. Поэ́тому мы не могли́ ка́ждый год 7 сентября́ собира́ться все че́тверо.

Юра то́же жени́лся. Жена́ его́, Ни́на, была́ врачо́м.

В 1966 году́, когда́ состоя́лись те собы́тия, о кото́рых я расскажу́ да́льше, нам бы́ло о́коло 27 лет, и мы всё ещё остава́лись друзья́ми. И Пе́тька тепе́рь челове́к, кото́рого уважа́ют; э́то я́сно из его́ пи́сем.

В э́том году́ мы уже́ в нача́ле а́вгуста ему́ написа́ли, что ни за что не прости́м, е́сли он опя́ть не прие́дет. Он отве́тил, что прие́дет обяза́тельно. Мы реши́ли устро́ить пра́здник.

Но вдруг Юра позвони́л домо́й:

– Ни́на, – сказа́л он гру́стно, – от Пе́ти пришло́ письмо́; не мо́жет прие́хать.

В пять часо́в мы собра́лись у Юры. На́до че́стно сказа́ть, что невесёлые мы бы́ли ужа́сно. Юра нам прочита́л письмо́. Како́й-то на заво́де произошёл несча́стный слу́чай, и Пе́тьке придётся неде́лю до́ма полежа́ть. Кста́ти, сообща́ет свой но́вый а́дрес: Яма, Трёхря́дная у́лица, дом 6. Ко́мната у них тепе́рь бо́льше и лу́чше. «Доса́дно, но де́лать не́чего. Не забыва́йте. Пиши́те. Ваш друг Пётр Гру́здев».

– Так не поступа́ют друзья́, – заговори́л Серге́й. Но

---

* член: челове́к, кото́рый принадлежи́т к како́й-нибудь организа́ции
* Доска́ почёта: доска́ с портре́тами лу́чших рабо́чих

Юра воскликнул: – Дружба имеет свои обязанности, и если даже Петька за что-то обиделся на нас, то в этом случае мы трое обязаны быть умнее его. Наверно, он обиделся на нас ещё тогда, девять лет назад, когда мы поступили в институт, а он не поступал и уехал в Энск. Ладно, мы виноваты, но ведь обида у Петьки прошла, это по письмам видно. Ведь это не чужой человек, это же наш Петька.

– Я думаю, что надо написать большое подробное* письмо, – сказал Юра, – и Афанасию Семёновичу написать, пусть он ему тоже напишет. Если мы в чём виноваты, просим простить.

– Между прочим, – сказала Нина, – завтра вечером поезд идёт в Энск. Около часа послезавтра были бы на месте.

– Ты что же, хочешь, чтобы мы к нему поехали? – удивлённо спросил я. – Трое к одному!

Вдруг Юра поднял стакан:

– Ребята, – сказал он, – а ведь Нина молодец, а? Поехали туда! Как ты, Сергей?

– Я могу сейчас позвонить начальнику. Он отпустит.

Я поговорю завтра на заводе, – сказал Юра.

– А я, – радостно сказала Нина, – в чемодан положу вам вино, даже шампанское*, и все деликатесы*, и вы приедете как три деда-мороза!

И на следующий день всё получалось легко и быстро. Мы ходили по перрону* страшно весёлые и

---

* подробный: со всеми мелкими обстоятельствами
* перрон: площадка на вокзале возле поезда

обсуждали, как мы приедем, и как мы войдём в квартиру, и как удивится Петька.

шампанское

деликатесы

Но вдруг Нина задумалась и сказала:

– Слушайте, мальчики, может, лучше всё-таки дать мне телеграмму Петру?

– Нет, нет, – закричали мы.

Когда мы вошли в вагон, Сергей спросил:

– Юра, а Нина не может в самом деле дать телеграмму?

– Да ну, что ты, – сказал Юра, – с ума сошёл? Она же пошутила. –

С утра стояла прекрасная погода. В купе* мы были одни и долго разговаривали о том, что нам предстоит. Мы ехали на северо-запад, и природа стала суровее. Постепенно мы немного устали, и мне пришло в голову, что, когда придумываешь слишком подробно будущее, случается непременно что-нибудь такое, чего совсем и не ждал.

Наконец, в полдень, появилась наша станция.

На площади перед вокзалом стояло одно такси.

– Вам куда? – спросил шофёр.

---

* купе: отдельное помещение в вагоне

– Яма, – сказа́л Серге́й, – Трёхря́дная у́лица, дом шесть.

– Нет, това́рищи, туда́ и в хоро́ший день не прое́дешь*.

Но я улыбну́лся и рассказа́л, что мы прие́хали к на́шему дру́гу на оди́н день, а чемода́н у нас о́чень тяжёлый.

– Ну, ла́дно, – сказа́л шофёр, – до до́ма не пое́ду, а до Я́мы пое́ду. Там вам оста́нется немно́го пройти́.

Маши́на вы́ехала на широ́кий совреме́нный проспе́кт. Пото́м прое́хала киломе́тра два-три ми́мо четырёхэта́жных домо́в. Пото́м по обе́им сторона́м бы́ли совсе́м но́вые дома́. И вдруг маши́на останови́лась; у́лица ко́нчилась.

– Вот, – сказа́л шофёр, – ва́ша Яма. Да́льше нельзя́ прое́хать. Да тут недалеко́. Вы бы́стро дойдёте.

Он спря́тал рубль в карма́н, торопли́во сел на своё ме́сто и уе́хал. Ка́жется, ему́ ста́ло немно́го сты́дно.

Нам то́же бы́ло почему́-то нело́вко. Мы представля́ли себе́ но́вый дом, весёлый двор, в кото́ром игра́ют де́ти. А там везде́ стоя́ли то́лько ма́ленькие деревя́нные до́мики. Там нельзя́ бы́ло найти́ да́же у́лиц.

Мы ста́ли спуска́ться по гря́зной доро́ге. За о́кнами не́ было ви́дно челове́ческих лиц. Ни одного́ челове́ка на у́лице! Не́ у кого бы́ло спроси́ть, где Трёхря́дная у́лица. Мы шли и растеря́нно рассма́тривали дома́. Мы молча́ли. Очень уж не хоте́лось разгова́ривать! И вдруг из како́го-то переу́лка вы́шла навстре́чу нам же́нщина в тёмном платке́ на голове́.

---

\* прое́хать: е́хать ми́мо и́ли че́рез что́-нибудь

– Скажи́те, пожа́луйста, – спроси́л же́нщину Сер-
ге́й, – где Трёхря́дная у́лица, дом но́мер шесть?

Же́нщина останови́лась и с любопы́тством осмо-
тре́ла ка́ждого из нас с ног до головы́.

– А вам кого́ ну́жно? – спроси́ла она́.

– Петра́ Гру́здева, – отве́тил Серге́й.

– Пе́тьку? – спроси́ла же́нщина. – Так он у Ано́хи-
ных на кварти́ре стои́т. Вон тре́тий дом.

Мы зашага́ли к до́мику. Я шёл и ду́мал, что от
чего́-то трево́жно у нас на душе́. Зна́чит, всё вре́мя
мы зна́ли: что́-то с Пе́тькой не в поря́дке. Мы вошли́
в сад, подняли́сь на крыльцо́ и постуча́ли в дверь к
на́шему дру́гу Пе́тьке.

Дверь нам откры́ла зла́я стару́ха.

– Нам Петра́ Семёновича, – сказа́л Юра.

– До́ма нет, – ре́зко переби́ла стару́ха и ста́ла
закрыва́ть дверь.

– То есть, как э́то нет до́ма? – Юра держа́л дверь;
вид у него́ был са́мый реши́тельный. – А его́ жена́?

Стару́ха засмея́лась: – Жена́? Отку́да у него́ жена́?
Нет у него́ никако́й жены́.

Юра растеря́лся*, стару́ха неме́дленно э́тим вос-
по́льзовалась и ре́зко закры́ла дверь.

Мы стоя́ли на крыльце́ соверше́нно удивлённые.

– Нам на́до попа́сть в дом, – реши́тельно сказа́л
Серге́й.

– Что же де́лать? – трево́жно спроси́л Юра. – На́-
до за мили́цией* идти́. Мо́жет, Пе́тьку уби́ли.

---

* растеря́ться: стать растéрянным
* мили́ция: организа́ция, кото́рая следи́т за обще́ственным
  поря́дком

И вдруг я заметил, что Сергей смотрит в сторону и делает странные жесты. Я следил за его движениями и увидел сквозь грязное окно бородатое лицо старика, его худые руки всё время махали в сторону, туда, откуда мы пришли.

– Пойдёмте, ребята, – негромко сказал Сергей. – Я вам потом объясню.

Он уверенно вошёл в пустой переулок. Юра молча смотрел на него.

– Там старик у неё, – тихо сказал Сергей, – он мне какие-то знаки делал. Хотел, чтобы мы за углом подождали. Он хочет что-то сказать.

Мы уже минут десять ждали, когда появился из глубокого двора наш старик.

– Петька вас ждал, – негромко сказал он. – Телеграмму ему принесли, что вы едете, и он взволновался. А потом письмо вам написал и немного перед вами ушёл. Старуха письмо прочитала, но половину он непонятно написал. Она спрятала письмо за зеркало. Она думала, что я сплю, да только я всё видел. Думаю, может, придут, за письмо на водку дадут. Дом на моё имя. А она всё себе, всё себе. Вот я письмо взял и вам знак подал. Дадут, думаю, на водку, и чёрт с ней.

– Письмо, – резко сказал Юра и протянул руку.

– А вы требуйте, требуйте от неё, – ответил старик. Он не обращал на Юру внимания. – Не имеет она права вас не пустить. Вчера вечером у него Клятов был. А Петька, наверно, у Клятова деньги взял и старухе при мне двадцать рублей передал. Старуха побежа́ла – поллитра взяла́. А мне то́лько полстака́н дала́. Остально́е сама́ вы́пила.

– Письмо́! – Лицо́ у Ю́ры бы́ло тако́е, что спо́рить с ним не име́ло смы́сла.

Одна́ко стари́к не собира́лся достава́ть письмо́.

Ю́рка ещё бо́льше рассерди́лся, но в э́то вре́мя Серге́й протяну́л старику́ два рубля́. Он схвати́л их и куда́-то спря́тал.

– Письмо́, – сказа́л в тре́тий раз Ю́ра, и я испуга́лся, что он убьёт старика́.

Стари́к вы́нул из карма́на письмо́. Ю́ра взял его́, и стари́к поспеши́л в ла́вку за во́дкой.


## ВОПРО́СЫ

1. Кто нашёл ма́льчиков?

2. Как зва́ли дире́ктора де́тского до́ма?

3. О чём договори́лись бра́тики?

4. Почему́ Пе́тька отпра́вился в Энск?

5. Что друзья́ подари́ли Пе́тьке?

6. Что Ни́на предложи́ла бра́тикам?

7. Дала́ в са́мом де́ле Ни́на телегра́мму?

8. Каки́е дома́ стоя́ли в Я́ме?

9. Кто жил в ста́ром до́мике?

10. Старики́ ми́рно жи́ли?

11. Куда́ стару́ха спря́тала письмо́?

12. Как друзья́м удало́сь получи́ть письмо́?

**2**

Мы вы́шли в переу́лок, се́ли на ста́рую скаме́йку, и Юра стал чита́ть письмо́.

– «Дороги́е бра́тики – на́чал Пётр –, я всегда́ знал, что когда́-нибудь мне придётся вам всё рассказа́ть. Я то́лько ду́мал, что э́то бу́дет гора́здо по́зже. По́этому я реши́л, что лу́чше написа́ть письмо́, чем посмотре́ть вам в глаза́.

В о́бщем, я сам во всём винова́т. Вот что произошло́: Когда́ я не поступи́л в институ́т, мне бы́ло, пра́вду сказа́ть, о́чень оби́дно. Я вам, коне́чно, навра́л про прия́теля, кото́рый меня́ зовёт в Энск и обеща́ет там рабо́ту. Я про́сто взял и пое́хал в Энск. Я снял ко́мнату, а че́рез две неде́ли уже́ рабо́тал на заво́де.

Не бу́ду расска́зывать о свое́й жи́зни во всех подро́бностях: приближа́ется ваш по́езд, а мне на́до ко́нчить письмо́. Скажу́ ко́ротко: всё я вам навра́л. Ка́ждый год я приду́мывал причи́ны, по кото́рым не могу́ прие́хать на седьмо́е сентября́. Еди́нственное, что я вам не навра́л – э́то то, что я жени́лся на о́чень хоро́шей де́вушке, То́не Ива́новой. Нам да́ли ко́мнату. То́ня зна́ла, что я мно́го пью, но не зна́ла почему́. У нас роди́лся сын, как я писа́л. Но год наза́д меня́ вы́гнали\* с заво́да за пья́нство, и вот уже́ год, как я То́не де́нег не даю́. Я от них ушёл бо́льше го́да наза́д. Всё ху́же и

---

\* вы́гнать: заста́вить вы́йти вон

хуже шли дела. Телегра́мма ва́ша пришла́ как раз в тот моме́нт, когда́ я реши́лся потеря́ть оста́тки* со́вести».

– Да́льше ничего́ не понима́ю, – сказа́л Юра, – не могу́ прочита́ть.

Серге́й взял письмо́ и стал осма́тривать его́.

– Зерка́льное письмо́, – объясни́л он, – на́до ка́ждое сло́во чита́ть с конца́.

«Не говори́те хозя́евам и То́не, что я исче́з навсегда́. Если вы бу́дете у меня́ сего́дня ве́чером, когда́ придёт ко мне челове́к, ему́ то́же не говори́те! Переночу́йте у меня́. Жела́ю вам всего́ лу́чшего, дороги́е бра́тики.

Бы́вший бра́тик Пе́тя».

Серге́й спря́тал письмо́ в карма́н. Мы все тро́е до́лго молча́ли. Пе́рвым заговори́л Серёжа:

– Това́рищи, сейча́с на́до реши́ть что де́лать. Пре́жде всего́: где Пе́тьку иска́ть? Я ду́маю, на́до верну́ться к старухе. Мо́жет быть, она́ хоть что́-нибудь зна́ет.

– Пе́тька про́сит старухе не говори́ть, что он уе́хал, – напо́мнил я.

– Мы и не ска́жем. Для старухи мы про́сто ждём его́, вот и всё. Како́й-то челове́к придёт к Пе́тьке ве́чером. То́же мо́жет что́-нибудь сказа́ть. Пото́м к То́не зайдём . . .

Серге́й посмотре́л на часы́.

– Тепе́рь пе́рвое, что на́до сде́лать – э́то попа́сть в ко́мнату Пе́тьки. Зна́чит, на́до дать старухе буты́лку

---

* оста́ток: то, что остаётся

во́дки. Угости́м её Столи́чной\* – стару́ха разговори́т-
ся. В пять часо́в пойдём к То́не, а к семи́ вернёмся и
бу́дем ждать э́того челове́ка. Пото́м на́до найти́
Кля́това.

– Како́го Кля́това? – с недоуме́нием спроси́л Юра.

– У кото́рого он вчера́ де́ньги взял.

Мы пошли́ к до́му. Серге́й споко́йно подошёл к
окну́ и постуча́л в гря́зное стекло́. Стару́ха показа́-
лась в окне́, она́ была́ о́чень серди́та. Но Серге́й
кивну́л голово́й на дверь и подня́лся на крыльцо́.
Что со стару́хой случи́лось, мы не зна́ем; во вся́ком
слу́чае, дверь откры́лась – и Серге́й сра́зу же вошёл
в дом.

Снача́ла стару́ха ста́ла серди́ться, но пото́м, когда́
Серге́й споко́йно сказа́л ей, что у нас есть во́дка, и
да́же Столи́чная – она́ ста́ла ве́жливее. Во вся́ком слу́-
чае, вошла́ с на́ми в ко́мнату Пе́тьки.

Пока́ я осма́тривал бе́дную ко́мнату Пе́тьки, Сер-
ге́й откры́л чемода́н, вы́тащил буты́лку во́дки и о́чень
бы́стро откры́л её.

Мы се́ли за стол, и Юра дал стару́хе стака́н во́дки,
кото́рый она́ бы́стро вы́пила. Но мы тро́е да́же не
на́чали пить. Пила́ то и де́ло одна́ стару́ха. И я ни-
когда́ не ви́дел, чтобы так пил челове́к.

– Скажи́те, – спроси́л наконе́ц Серге́й. – Пе́тька
никуда́ е́хать не собира́лся? Вы не слы́шали?

Стару́ха посмотре́ла на нас тума́нным взгля́дом.
Она́ была́ уже́ где́-то в друго́м ми́ре!

---

\* Столи́чная: назва́ние хоро́шей во́дки

– Концерт окончен, – сказал мрачно Сергей. – Пошли к Тоне!

В это время вернулся из лавки старик. Он прошёл мимо нас в другую комнату. Так как он не обнаружил жены, он закричал: – Ушла старуха! Ну подожди, придёшь, я тебе покажу, на чьё имя дом!

Тоня Груздева жила в четырёхэтажном доме. Она сама открыла нам дверь. Это была маленького роста, худая женщина. Когда она увидела трёх незнакомых мужчин, она, конечно, испугалась. Но потом, когда мы ей объяснили, кто мы и что мы, оказалось, что

Петька часто о нас рассказывал. Она улыбнулась и пригласила нас зайти.

В комнате сидел необыкновенно жизнерадостный мальчик.

Мы вытащили из чемодана и шампанское, и все деликатесы. Тоня была спокойная, добрая женщина. Мы видели её впервые, а чувствовали себя так, будто знаем её давно.

Но вот начинается разговор.

Тоня, конечно же, ничего не знала о письмах Петьки. Мы рассказали о визите к Петьке, о старике и старухе, о том, как всё было для нас неожиданно. Потом Сергей достаёт письмо от Петьки и протягивает ей. Она читает, но наверное, не согласна с Петей; она ведёт с ним про себя не слышный нам разговор.

Сергей начинает объяснять, что виноваты мы, потому что мы оказались плохими друзьями и могли бы гораздо раньше понять, что происходит с Петром.

– Нет, – говорит Тоня, – не в том дело. Пётр ведь человек добрый, он только очень слабый. Ведь он от меня ушёл, потому что ему меня было жалко.

Мы первое время с ним хорошо жили. И он не пил. И когда Володька родился, он очень обрадовался этому. Потом месяца не прошло, я его к обеду ждала, а он только утром пришёл, и пьяным он был ужасно. Ну, я понимала, что ему плохо, и ругать его не стала. Когда я на следующий день вернулась домой, письмо лежит: он со мной жить не может потому, что он о́чень плохо́й, но твёрдо реши́л стать хоро́шим челове́ком, и тогда́ ко мне придёт.

А где ему́ одному́ стать хоро́шим челове́ком ... У него́ про́сто плохи́е това́рищи. Тут есть оди́н тако́й, Кля́тов. Он из заключе́ния верну́лся, с Пе́тей на одно́м заво́де рабо́тал, но его́ вы́гнали. Тепе́рь, говоря́т, где́-то рабо́тает. Врёт, ду́маю. Но де́ньги у него́ есть. Бою́сь, на плохи́е дела́ пошёл. Вот он Пе́те даёт и пьёт с ним. И что Пе́тя нашёл в нём, не понима́ю. И заче́м Пе́тя Кля́тову ну́жен, то́же поня́ть не могу́.

Мы не́сколько мину́т молча́ли, пото́м Серге́й сказа́л: – То́ня, как вы ду́маете, куда́ он мог бежа́ть?

– Не зна́ю, – отве́тила То́ня, – был у него́, пра́вда, оди́н прия́тель, Ко́стя Коробе́йников. Но он к родны́м уе́хал.

Разгово́р продолжа́лся до́лго. Наконе́ц Серге́й сказа́л:

– То́ня, мы сейча́с уйдём. К Пе́те како́й-то челове́к до́лжен зайти́, по́мните, он в письме́ пи́шет? А, мо́жет, Ано́хины что́-нибудь ска́жут. Невозмо́жно, что никто́ не знал, куда́ он пое́хал. Как бы далеко́ э́то ни бы́ло, мы пое́дем за ним.

Мы прости́лись с То́ней и пообеща́ли за́втра зайти́ и́ли позвони́ть на заво́д и сказа́ть ей, что нам удало́сь узна́ть. –

И опя́ть мы спуска́емся в Я́му. Ещё нет восьми́, а всё-таки почти́ темно́. Как мёртво вы́глядит Я́ма. То́лько па́дают ка́пли с дере́вьев и крыш.

Ну вот мы уже́ на пусто́й Трёхря́дной у́лице, мы

портфе́ль

поднима́емся на крыльцо́ и стучи́м. За две́рью ти́хо.
Мы стучи́м в окно́. Ни зву́ка. Мы ещё раз стучи́м в
дверь, кричи́м, что у нас во́дка. Тогда́ Юра отдаёт
мне свой портфе́ль*, и изо всех сил толка́ет плечо́м
в дверь. Он чуть не па́дает, потому́ что дверь сра́зу же
открыва́ется. Её совсе́м не закры́ли на ключ.

А в ко́мнате Пе́тьки всё бы́ло, как мы оста́вили.

Только из соседней комнаты доносился странный шум. Осторожно мы открыли дверь – там крепко спали Анохины, старуха на кровати, а старик на узком диване.

Мы все сели на кровать Петьки; мы здорово устали за этот день, не хотелось говорить, хотя материала для разговора вполне хватало.

Я начал засыпать, но вдруг услышал какой-то звук. С трудом я открыл глаза и увидел, что в пыльное стекло окна тихо стучит чья-то рука. Я совсем проснулся и разбудил Юру и Сергея.

– Кто-то стучал в окно, – тихо сказал я, – и заглядывал в комнату.

Мы сидели и слушали. В старом доме всегда живут какие-то шумы. Мало ли что слышится в старом доме!

Мы с тревогой смотрели на дверь, и вот медленно-медленно она начала открываться и открылась так, чтоб можно было заглянуть в комнату. Затем появилась голова и осмотрела комнату. Может быть, человек за дверью нас не увидел. Нет, он увидел наши широко открытые глаза. Тогда он спокойно вошёл в комнату и протянул руку к выключателю.

– Здравствуйте, – сказал человек, – Петуха нет дома?

Это был невысокий парень, и всё-таки, не знаю почему, чувствовалось, что человек он сильный.

– А вам какого Петуха? – спокойно спросил Сергей.

– Мне моего дружка\* Петю, – сказал маленький человек, – мы с ним договорились на танцы идти.

---

дружок (-жка): от слова друг

Скоро уж клуб закроют, потанцевать не успеем.

Сергей уже придумал, что говорить – вид у него был совершенно спокойный.

– Да вот мы тоже его ждём, – сказал он, – приехали из С. повидаться, да не нашли.

– Так . . . – Парень кивнул головой. – Ну подождите товарища, а если придёт, скажите, что я был.

– А как вас, извините, зовут? – спросил я.

– Паша меня зовут. Да он знает. Мы с ним договорились.

– А фамилия? – спросил я. – Чтобы не ошибиться.

– Фамилия? – пожал плечами парень. – Зачем вам фамилия? Впрочем тайны тут нет. Савин, Паша Савин. Когда Петя придёт, вы ему передайте. Скажите, что я на танцах буду ждать его.

Парень кивнул, очень равнодушно, и ушёл.

– Что-то мне кажется, что его фамилия не Савин, а Клятов, – сказал Сергей, – и не на танцы собирались они с Петей идти.

Мы сели на кровать. Спать мне хотелось ужасно, но сидеть было неудобно. А как только я начинал засыпать, кто-то словно толкал меня. Я открывал глаза и не сразу понимал, где я, и что это за ужасная комната. Это тревога не оставляла меня в покое.

Вдруг я почувствовал: что-то изменилось. Я испуганно осмотрелся: Сергея нет на кровати. Было почти совсем темно. Только луна светила в комнату.

– Серёжа, – шёпотом позвал я.

– Тише, – также шёпотом ответил человек, который сидел в углу.

– Иди́ сюда́, – сказа́л он.

Я подошёл к Серге́ю. Он держа́л в руке́ лист бума́ги.

– Понима́ешь, – ти́хо объясни́л он, – я всё заду́мываюсь о том, куда́ всё-таки Пе́тька мог уе́хать. Я поду́мал: мо́жет, у него́ кака́я-нибудь запи́ска сохрани́лась. И вот в шкафу́ нашёл. У тебя́ спи́чки* есть?

Я зажёг спи́чку. Мы уви́дели две бу́квы «К», пото́м «Новг.» и «ВДЛ» и «р-н», пото́м «Едрово», а внизу́ а́дрес Ко́сти.

– Как То́ня его́ назвала́? – спроси́л Серге́й.

– Ко́стя Коробе́йников, – сказа́л я, – «Новг.» э́то, коне́чно, Но́вгородская о́бласть, э́то то́же она́ говори́ла.

– А «Едрово»? – спроси́л Серге́й.

– По-мо́ему э́то ме́сто под Но́вгородом.

Серге́й спря́тал бума́жку в карма́н.

спи́чка

3

# ВОПРÓСЫ

1. Кто прочитáл письмó Пéтьки?
2. Пéтька рáньше писáл брáтикам прáвду?
3. Что на сáмом дéле случúлось с ним?
4. Что он пúшет о телегрáмме?
5. Им удаётся в э́тот раз войтú в дом?
6. Почемý старýха не мóжет рассказáть им о Пéтьке?
7. Как Тóня принимáет их?
8. Соглáсна Тóня с тем, что пúшет Пéтька?
9. Какóй человéк Клятов?
10. Кто приходúл вéчером к Пéтьке?
11. Вéрит Сергéй, что фамúлия э́того пáрня Сáвин?
12. Что нахóдит Сергéй в кóмнате?

# 3

И вновь потяну́лась ночь. Я о́чень неспоко́йно спал. Вдруг кто́-то толкну́л меня́ в плечо́. Я до́лго не мог просну́ться. И сно́ва кто́-то толкну́л меня́ в плечо́. Я откры́л глаза́ и уви́дел милиционе́ра, кото́рый наклони́лся надо мной. Я удивлённо смотре́л и не понима́л, отку́да и заче́м он.

– Просни́тесь, граждани́н, – говори́л милиционе́р.
– Ва́ши докуме́нты, граждани́н.

Я вы́нул из карма́на па́спорт и други́е докуме́нты, и всё э́то протяну́л милиционе́ру.

Он ме́дленно откы́л па́спорт, прочита́л пе́рвую страни́цу. Пото́м остальны́е. Он так же внима́тельно рассмотре́л остальны́е докуме́нты и мо́лча о́тдал мне их.

Кро́ме Серге́я и Юры, кро́ме милиционе́ра, стои́т в ко́мнате челове́к в си́нем костю́ме, кото́рый почему́-то де́ржит в рука́х мой портфе́ль.

– Покажи́те, что в ва́шем портфе́ле, – говори́т э́тот челове́к.

Но так у меня́ дрожа́т ру́ки, что ника́к не могу́ его́ откры́ть. Я понима́ю, что э́то ужа́сно. Я волну́юсь . . . но наконе́ц открыва́ется портфе́ль. Я достаю́ трусы́*, руба́шку, электробри́тву*, блокно́т*. Тепе́рь в портфе́ле оста́лась то́лько буты́лка во́дки. Но челове́к в си́нем костю́ме не обраща́ет, ка́жется, на неё внима́ния. Тогда́ он говори́т:

---

* трусы́, электробри́тва, блокно́т: см. стр. 28

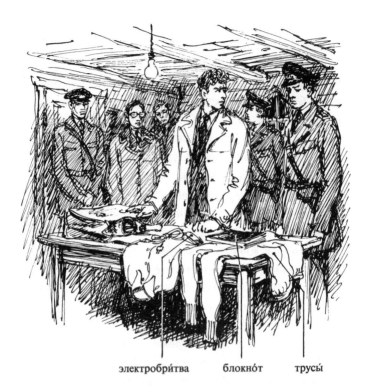

электробритва    блокнот    трусы́

— Мы, това́рищи, сейча́с с ва́ми пое́дем в мили́цию. На́ши рабо́тники хотя́т с ва́ми побесе́довать.

Пра́вда, ни в чём не́ был я винова́т, но всё-таки мне ста́ло неприя́тно.

В коридо́ре стоя́л ещё оди́н милиционе́р. А когда́ мы вы́шли на крыльцо́, то уви́дели, что пе́ред до́мом стои́т закры́тая милице́йская маши́на. Мы се́ли в маши́ну. Тут уже́ сиде́ли старики́ Ано́хины, очеви́дно, их разбуди́ли ра́ньше нас.

Я в пе́рвый раз в жи́зни чу́вствую себя́ престу́пником*. Не могу́ сказа́ть, что э́то прия́тное чу́вство. Я, коне́чно, зна́ю, что не крал* и не убива́л.

Я вхожу́ в кабине́т ста́ршего лейтена́нта*. Серге́я и Юру уво́дят* куда́-то в друго́е ме́сто – мне не ви́дно куда́. Старико́в Ано́хиных увели́ в како́й-то друго́й кабине́т.

За пи́сьменным столо́м сиди́т лейтена́нт. Он опя́ть проверя́ет мои́ докуме́нты, спра́шивает, как я и мои́ друзья́ оказа́лись у Ано́хиных, давно́ ли мы зна́ем Пе́тю, почему́ мы к нему́ прие́хали и почему́ у него́ оста́лись, хотя́ его́ не нашли́. Я расска́зываю и о де́тском до́ме, и о письме́ Пе́тьки. Письмо́ интересу́ет лейтена́нта, и я его́ пока́зываю. Лейтена́нт зовёт друго́го милиционе́ра, кото́рый берёт письмо́ и ухо́дит с ним. Я говорю́, что э́то письмо́ на́шего дру́га и мы хоти́м его́ сохрани́ть. Лейтена́нт успока́ивает меня́ и говори́т, что нам письмо́ отдаду́т.

Пото́м лейтена́нт спра́шивает:

– Скажи́те, а что, по-ва́шему, Гру́здев име́ет в виду́, когда́ пи́шет, что телегра́мма пришла́ как раз в тот моме́нт, когда́ он реши́лся «потеря́ть оста́тки со́вести».

– Не зна́ю, – говорю́ я, – мы на э́то не обрати́ли внима́ния. Но ведь он так пи́шет.

– Да, – соглаша́ется лейтена́нт, – но всё-таки как же он собира́лся потеря́ть оста́тки со́вести?

---

* престу́пник: челове́к, кото́рый гру́бо де́йствует про́тив зако́нов
* красть/у-: брать/взять чужо́е
* лейтена́нт: рабо́тник мили́ции
* уводи́ть: вести́ вон

И опять я молчу. Наконец я говорю, что смысл этой фразы мне неясен.

пачка

Лейтенант достаёт пачку* фотографий и кладёт их на стол.

– Посмотрите, пожалуйста, эти фотографии – знакомого вам человека здесь нет?

Я показываю на одну фотографию.

– Вот Савин, – говорю я, – он вчера вечером приходил.

– Савин? – спрашивает лейтенант.

– Может быть, Клятов, – говорю я.

– А почему вы думаете, что он Савин, или что он Клятов?

Я рассказываю, как приходил вчера вечером этот парень, у которого днём раньше Петя взял деньги.

– Сколько денег взял Груздев у Клятова, не знаете? – спрашивает лейтенант.

– Не знаю.

– А куда он мог уехать? – спрашивает лейтенант.

– Мы сами всё время об этом думали, – говорю я. – Мы вчера позвонили в С., чтоб нам дали отпуск. Мы хотим поехать к нему.

– А куда же вы думаете ехать к нему? – спрашивает совсем равнодушно лейтенант милиции.

– В Клягино, к Афанасию Семёновичу, – говорю я, – по-моему, больше для него мест не имеется.

Лейтенант долго пишет и, наконец, достаёт из ящика стола и показывает зажигалку.

– Вам эта зажигалка знакома?

– Это зажигалка Петьки! – радостно говорю я.

– Петра Груздева?

протокол

– Да, да! – И я рассказываю, как мы подарили эту зажигалку Петьке девять лет назад. Кажется, что это не очень интересует лейтенанта. Он даёт мне прочитать протокол*. Я читаю внимательно, да, всё точно как я говорил. Потом мы с ним выходим в коридор и подходим к скамейке, на которой сидит Юра. Лейтенант просит нас подождать. Мы молчим. В это время открывается дверь, и в коридор выходит Тоня. У неё очень испуганные глаза. Она смотрит на нас, и, кажется, не узнаёт.

Наконец в другом конце коридора появляется Сергей с другим лейтенантом, который говорит нам:

– С вами хочет побеседовать начальник; пройдёмте к нему.

Начальник просит нас сесть, долго смотрит на нас и потом говорит:

– Я хочу́ всё объясни́ть вам. Но́чью сего́дня огра́-
блена* кварти́ра инжене́ра Ники́тушкина. Это о́чень
уважа́емый в го́роде челове́к. Он на пе́нсии* и с же-
но́й живёт в отде́льном до́ме за́ городом. Грабители*
уби́ли её. Инжене́р Ники́тушкин в тяжёлом состоя́нии
в больни́це. В одно́м из грабителей он узна́л Кля́това,
а лица́ второ́го грабителя он не ви́дел. Мы уве́рены,
что вторы́м был ваш друг Гру́здев Пётр Семёнович.
Тем бо́лее, что на ме́сте преступле́ния* нашли́ зажи-
га́лку, кото́рую вы узна́ли. Доба́влю, что скры́лись*
о́ба. – Вы ничего́ не мо́жете доба́вить к э́тому?

– Нет, ничего́.

По́сле э́того нам отдаю́т письмо́ Пе́тьки и отпу-
ска́ют. Мы выхо́дим на у́лицу, но до́лго не понима́ем,
куда́ и заче́м идём.

– Пойдёмте к реке́, – наконе́ц говори́т Серге́й. –
На́до поговори́ть.

На берегу́ реки́ мы се́ли на скаме́йку. Юра на́чал
разгово́р:

– Не могу́ себе́ предста́вить Пе́тьку, кото́рый уби-
ва́ет беззащи́тную, ста́рую же́нщину.

– Нет, – ре́зко сказа́л Серге́й. – Если бы я служи́л
в мили́ции, я бы, мо́жет быть, то́же был убеждён, что
он уби́л. Но я зна́ю, что он э́того не сде́лал. Мы сей-
ча́с сра́зу же е́дем на вокза́л, берём биле́ты на пе́р-
вый по́езд в С.

---

* гра́бить/о-: красть при по́мощи ору́жия
* пе́нсия: де́ньги, кото́рые получа́ют по́сле того́, как ко́н-
  чили рабо́тать
* грабитель: челове́к, кото́рый гра́бит
* преступле́ние: де́йствие про́тив зако́нов
* скрыва́ться/скры́ться: исчеза́ть/исче́знуть

– А где искать Петьку? – спросил Юра.

– Прежде всего у Афанасия Семёновича. Каждый из нас в таком случае поехал бы к Афанасию. Если Петька там, поговорим с ним. Пусть он нам скажет, что он не убийца\*. Он делает самое глупое, что только можно: скрывается.

– А если Петьки в Клягине нет? – спросил Юра.

– Надеяться найти Петьку мы можем только в Клягине, больше адресов у нас нет . . .

## ВОПРОСЫ

1. Кто ночью приходит в комнату?

2. Чего хочет милиционер?

3. О чём спрашивает лейтенант?

4. Чему удивляется лейтенант?

5. Кто ещё появляется в отделении милиции?

6. Почему друзья думают, что Петька в Клягине?

7. Что показывает лейтенант?

8. Кто им объясняет, что случилось?

9. И что же случилось?

10. Куда, по мнению братиков, уехал Петька?

---

\* убийца: человек, который убивает

**4**

Поезд наш пришёл в го́род в де́вять часо́в ве́чера, после́дний авто́бус уже́ ушёл и на́до бы́ло киломе́тров во́семь шага́ть пешко́м. Мы шли по тёмной доро́ге.

Ча́са че́рез полтора́ показа́лись огни́ Кляги́на.

В де́тском до́ме на второ́м этаже́, как всегда́, свети́лось окно́. Афана́сий Семёнович сиде́л у себя́ в кабине́те. Мы дово́льно до́лго стуча́ли в дверь. Наконе́ц послы́шались шаги́ Афана́сия. Он ме́дленно откры́л дверь, совсе́м не удиви́лся, а то́лько сказа́л:

– Я ждал вас ра́ньше!

Мы не зна́ли, не то́лько, что сказа́ть, но что и поду́мать. Здесь Пётр и́ли не здесь? Пе́рвым собра́лся с ду́хом Серге́й.

– Пётр здесь, Афана́сий Семёнович?

Афана́сий Семёнович до́лго молчи́т.

– С чем вы прие́хали? – внеза́пно спра́шивает он. – Вы прие́хали руга́ть Петра́? Да и́ли нет? Или вы прие́хали говори́ть ему́, что он хоро́ший? Что он ни в чём не винова́т?

– Нет, – говори́т Юра.

– Так заче́м вы прие́хали? – почти́ кричи́т Афана́сий Семёнович. – Показа́ть, что вы хоро́шие друзья́? Что вы не оста́вили това́рища в беде́?

– Афана́сий Семёнович, – смущённо говори́т Юра, мы ведь ничего́ не зна́ли . . .

– Вы сюда́ прие́хали врать мне? – кричи́т Афана́сий Семёнович. – Ска́зки бу́дете мне расска́зывать, что всему́ ве́рили? Де́вять лет не ви́дите дру́га, он вам исто́рии про себя́ пи́шет, а вы, действи́тельно всему́ ве́рите? Таки́ми вдруг дурака́ми ста́ли?

Всё, как быва́ло когда́-то, в де́тстве. Но в ты́сячу раз страшне́е сиде́ть сейча́с под его́ серди́тым взгля́дом.

– Преступле́ние мо́жно прости́ть, – неожи́данно ти́хо продолжа́л Афана́сий Семёнович. – Равноду́шия нельзя́ прости́ть! Что Пётр писа́л? Что он уважа́емый челове́к, портре́т его́ виси́т на заво́де! Бра́во! Пётр молоде́ц! Да со́весть-то у вас есть? Она́ ведь зна́ет, что друг вам де́вять лет в пи́сьмах крича́л «спаси́те», е́сли э́ти пи́сьма чита́ть как сле́дует.

Афана́сий Семёнович тепе́рь стоя́л за столо́м; вста́ли и мы тро́е. Юра и Серге́й бы́ли соверше́нно бле́дные. Вероя́тно, тако́й же бле́дный был и я.

– Ну, – спроси́л Афана́сий Семёнович, – что вы ска́жете, «поря́дочные лю́ди»?

На́до бы́ло отвеча́ть. Наконе́ц совсе́м ти́хо сказа́л Серге́й:

– Трево́га, мо́жет, у нас всё-таки была́, но мы скрыва́ли* её друг от дру́га и от себя́. Так что вы пра́вы.

Афана́сий Семёнович ещё помолча́л мину́ту и пото́м сказа́л:

– Пойдёмте. Пётр у меня́ до́ма. Он боя́лся, что вы прие́дете, и проси́л меня́ спря́тать его́ от вас.

Он вы́шел из кабине́та. Мы тро́е пошли́ за ним.

Афана́сий Семёнович был челове́к одино́кий, зани-

---

* скрыва́ть/скрыть: пря́тать/с-

мал однокомнатную квартиру с кухней и даже ванной*.

Петька сидел на диване. Он посмотрел на Афанасия Семёновича.

– Я же просил вас . . .

– Просил, просил . . . – ответил Афанасий Семёнович. – Голову на плечах надо иметь. Друзья же приехали. Может, чего помогут, чего посоветуют.

Петька молча протянул нам руку. Мы так же молча сели.

– Ну что говорить . . ., – сказал наконец Петька. – Вы письмо моё получили? У Тони были?

Сергей чуть заметно кивнул головой.

– Я знал, – спокойно сказал Петька, – что вы к ней пойдёте, я адрес нарочно написал. Тоня замечательная. Перед вами я виноват, а перед ней в сто раз больше.

Он задумался, а потом резко сказал:

– Нет, всё это кончилось – навсегда кончилось. Тоня простит меня, я знаю, что простит, и станем жить, как люди. Я и не ходил к ней, и ещё знаете, почему не шёл? Это совсем стыдно, но я скажу.

Я понимал, Петька собирается рассказать про историю с Клятовым.

– Так вот, – начал он, – вы Клятова видели? (Мы кивнули). Значит, он приходил. Я ему деньги должен, придётся отдавать. Двести рублей я у него взял. Я просил пятьдесят, но он заставил взять двести. Завтра, говорит, у нас денег много будет.

* ванная см. стр. 40

Петька опять замолчал.

– Так вот, – сказал он наконец, – Клятов узнал, что один инженер, который решил сыну подарить «Волгу», взял в сберкассе* большие деньги. Он сказал мне, что, если, мол, завтра зайдём к старикам и их испугаем, можем эти деньги легко забрать. Может быть, если бы вы не приехали, я бы уже был грабителем. Это вы меня, братики, спасли. Что же, думаю, такое, как же я им в глаза посмотрю? Бежать, бежать . . . И убежал. Не от вас, а от преступления убежал.

Пётр встал и начал ходить по комнате и всё улыбался.

– Теперь всё изменится, – говорил он, – я в себе теперь столько силы чувствую, вы себе даже представить не можете. Я пьянство бросил навсегда, это я точно знаю.

А вдруг Юра со всей силой ударил кулаком по столу и вскочил: – Да замолчи ты наконец!

– А что такое, ребята? – спросил Петька. Очень растерянное и жалкое было у него лицо.

– Знаешь, Петя, – сказал я, – а этого инженера с женой ограбили всё-таки и даже жену убили.

– Что же, Клятов один пошёл? – спросил Петька каким-то чужим голосом.

– Нет, – сказал Сергей, – грабили двое, и милиция считает, что второй – это ты!

Петька с недоумением смотрел на нас. Может быть, он старался себе доказать, что не могло получиться так, как мы говорили. – Мы трое сидели

---

* сберкасса: место, где держат деньги

хму́рые* и нево́льно смотре́ли в сто́рону. Но са́мым хму́рым был Афана́сий Семёнович.

– Пе́тя, – сказа́л Серге́й о́чень мя́гко, – е́сли ты говори́шь, что не уча́ствовал в преступле́нии, так чего́ ты бои́шься?

На ме́сте Пе́тьки я бы то́же о́чень испуга́лся. Пе́тька к тому́ же, в э́то вре́мя, от постоя́нного пья́нства был не совсе́м норма́лен.

Серге́й о́чень споко́йно рассказа́л обо всём, что произошло́, и осо́бенно о том, что в до́ме Ники́туш-киных нашли́ зажига́лку, кото́рая, как мы призна́ли, принадлежи́т бра́тику.

Пе́тька слу́шал мо́лча, о́чень напряжённо, иногда́ кива́л голово́й, как бу́дто пока́зывал, что так он себе́ всё и представля́ет.

Весь дальне́йший разгово́р шёл с до́лгими па́узами.

– Да, – сказа́л наконе́ц Пе́тька, – когда́ челове́ку не везёт, так уж не везёт.

– «Не везёт, не везёт»! – вдруг воскли́кнул Афа-на́сий Семёнович. – Пил бы ме́ньше, так и везло́ бы. С жено́й повезло́, с сы́ном повезло́, с друзья́ми по-везло́! С чем тебе́ не повезло́, дура́к ты?

– Коне́чно, коне́чно, – сказа́л Пе́тька, – зна́ю, что сам винова́т. То́лько я ведь не гра́бил и не убива́л.

– Да? – закрича́л Афана́сий Семёнович. – Ты не знал, что Кля́тов на всё спосо́бен? Дру́жишь с бан-ди́тами, а пото́м удивля́ешься, что тебя́ подозре-ва́ют*.

---

* хму́рый: в плохо́м настрое́нии
* подозрева́ть: ду́мать, что челове́к винова́тый в чём-нибудь

– Коне́чно, мили́ция права́, что меня́ и́щет, – заду́мчиво сказа́л Пе́тька. – Как тепе́рь дока́жешь, что не винова́т? Уе́ду куда́ пода́льше, мо́жет быть, не найду́т.

Случи́лось и́менно то, чего́ ка́ждый из нас боя́лся.

– Слу́шай, Пе́тя, – сказа́л наконе́ц Серге́й. – Ты хо́чешь сде́лать стра́шную глу́пость. С той мину́ты, как ты убежи́шь, ты ста́нешь престу́пником. Тебе́ придётся скрыва́ться всю жизнь. У тебя́ не бу́дет ни одного́ споко́йного дня и ни одно́й споко́йной но́чи. Я уж не говорю́ о том, что Во́вку ты никогда́ не уви́дишь, То́ню ты никогда́ не уви́дишь.

– Зна́ете, това́рищи, – ти́хо сказа́л Пе́тька, – вы, наве́рное, пра́вы, но я не могу́ реши́ться. Я попро́бую убежа́ть. Убегу́ – хорошо́. Пойма́ют – ну что же.

– Пе́тя, – сказа́л Афана́сий Семёнович, – ты, коне́чно, сам до́лжен реши́ть, но пойми́: Если ты сам я́вишься в мили́цию, то, е́сли да́же тебя́ аресту́ют, ты всегда́ бу́дешь знать, что мы че́тверо и То́ня пя́тая ве́рим тебе́ и за тебя́ бо́ремся. Если ты убежи́шь, ты убежи́шь не то́лько от суда́, но и от нас. Бо́льше на земле́ не бу́дет одного́ челове́ка, кото́рый ве́рил бы тебе́ и тебя́ люби́л. Будь мужчи́ной, Пётр!

– А куда́ ну́жно идти́? – спроси́л Пе́тя.

– Э́то ну́жно поду́мать, – отве́тил Афана́сий. – Я ведь то́же рабо́тник мили́ции. Вот ви́дишь, мне да́же свисто́к* да́ли, чтоб свисте́ть на слу́чай, е́сли, напри-

 свисто́к (-стка́)

мёр, хулига́ны\* деру́тся. – Он вдруг перешёл на шутли́вый тон.

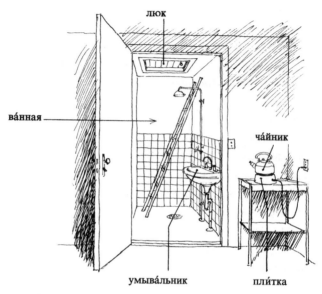

- Я предлага́ю так, – продолжа́л он, – сейча́с мы поспи́м. За́втра с утра́ пое́дем в мили́цию. У нас там в Кляги́не есть оди́н мой знако́мый лейтена́нт. Вот мы туда́ прие́дем, и как хо́чешь, Пе́тя: все вме́сте и́ли ты оди́н . . .

- Лу́чше я оди́н, – твёрдо отве́тил Пе́тя.

- Ну, ла́дно, почти́ ве́село сказа́л Афана́сий. – Ме́жду про́чим, в на́шем де́тском до́ме ра́ньше жил Стёпа Гаври́лов. Он тепе́рь в Энске юри́стом рабо́тает. Са́м-то он, пожа́луй, для тако́го де́ла мо́лод, но

---

\* хулига́н: челове́к, кото́рый гру́бо меша́ет обще́ственному поря́дку

хоть посове́тует. Я к нему́ пое́ду. А тепе́рь, ребя́та, вы́пьем ча́ю – и спать.

Афана́сий Семёнович поста́вил ча́йник* на электри́ческую пли́тку* и отпра́вил нас в ва́нную.

В ва́нной мы ве́село разгова́ривали, о́чень удиви́лись, что и́менно здесь люк* на кры́шу. Больша́я ле́стница о́коло умыва́льника* о́чень меша́ла.

Чай гото́в. Мы доста́ли хлеб, варе́нье, ма́сло, сыр – шути́ли, смея́лись.

Как Пе́тька ни смея́лся на шу́тки, я чу́вствовал, наве́рное, так же, как и все, что ни на секу́нду не отпуска́ет его́ мысль о бу́дущем. –

Как раз в э́то вре́мя зазвони́л дверно́й звоно́к.

Все, и я в том числе́, де́лали вид, что в звонке́ э́том нет ничего́ осо́бенного. Мы забы́ли, что уже́ рабо́тает мили́ция, что стуча́т телегра́фы, звоня́т телефо́ны, в поезда́х, маши́нах и самолётах е́дут лю́ди, что́бы найти́ престу́пников, кото́рые огра́били ста́рого инжене́ра под го́родом Э́нском.

– Мо́жет быть, э́то дежу́рный, – сказа́л ка́к-то о́чень уж равноду́шно Афана́сий Семёнович, – откро́й, Юра, пожа́луйста.

Юра споко́йно прошёл че́рез ко́мнату и уже́ открыва́л дверь, когда́ разда́лся второ́й звоно́к. Афана́сий встал и пошёл за Юрой. Он не успе́л ещё дойти́ до две́ри, как вскочи́л и убежа́л Пе́тя. Мы все волнова́лись. Мы отли́чно понима́ли, что э́то пришли́ за Пе́тькой.

Из коридо́ра доноси́лся разгово́р. Слов мы не слы́шали, но бы́ло соверше́нно поня́тно, что разговор тревожный. Приближались шаги. Афанасий Семёнович открыл дверь и сказал голосом, который он старался сделать спокойным:

– Это за тобой, Петя.

В дверь вошёл Афанасий, потом лейтенант милиции, и потом ещё один человек.

– Петя вышел, Афанасий Семёнович, – сказал я, – он же там, с вами в коридоре.

– Как – в коридоре?

Афанасий быстро вышел из комнаты, лейтенант милиции повернулся и пошёл за ним. Афанасий понял, что Петя делает самое глупое, что только можно придумать в эту минуту – старается скрыться. Но ни в коридоре, ни на кухне, ни в ванной Пети не было. Когда Афанасий Семёнович убедился, что Петя каким-то совершенно непонятным образом исчез из квартиры, он выскочил во двор. Было совсем темно. Везде стояли милиционеры, но Афанасий их не увидел.

– Петя! – крикнул он очень громко; он лучше всех понимал, что надо было заставить Петю вернуться, сейчас же, немедленно вернуться.

– Петя! – крикнул Афанасий ещё раз гораздо громче. Во дворе была тишина. Афанасий вынул из кармана – он сам не знал зачем – свой милицейский свисток и засвистел во всю силу.

Одно только не пришло в голову Афанасию. Милицейский свисток мог только ещё больше испугать Петра. Откуда же мог Пётр знать, что таким необычным способом директор просит его вернуться!

Лейтена́нт мили́ции положи́л ему́ ру́ку на плечо́.

– Заче́м вы свисти́те? – негро́мко сказа́л он. – Переста́ньте свисте́ть сейча́с же!

Из темноты́ прибежа́л милиционе́р, он о́чень торопи́лся.

– Вы зва́ли, това́рищ лейтена́нт? – спроси́л он.

– Заче́м вы ушли́ с по́ста? – ре́зко сказа́л лейтена́нт. – Сейча́с же наза́д!

Они́ с Афана́сием пошли́ в дом, и опя́ть рабо́тники мили́ции ста́ли осма́тривать всю кварти́ру. Их заинтересова́л люк в ва́нной. Это был еди́нственный путь, кото́рым Пе́тька мог уйти́. Они́ зале́зли на кры́шу.

Мину́т че́рез де́сять они́ верну́лись – без результа́та.

– Свисте́ть не на́до бы́ло, Афана́сий Семёнович, – споко́йно сказа́л лейтена́нт. – Вокру́г до́ма бы́ли рабо́тники мили́ции, да́же сза́ди. Хоть туда́ ни одного́ окна́ и ни одно́й две́ри не выхо́дит, мы там поста́вили милиционе́ра. А когда́ вы свисте́ли, он реши́л, что его́ зову́т, и прибежа́л. Я так ду́маю, что граждани́н Гру́здев в э́то вре́мя с кры́ши на у́лицу и спры́гнул*.

Всю ночь мили́ция рабо́тала, но Пе́тька каки́м-то соверше́нно непоня́тным о́бразом исче́з.

Че́рез не́сколько дней мы верну́лись к себе́ в С.

---

* спры́гнуть: пры́гнуть све́рху вниз

# ВОПРОСЫ

1. Когда́ прие́хали бра́тики в Кляги́но?
2. Что сказа́л им Афана́сий Семёнович?
3. Он ду́мает, что они́ хоро́шие това́рищи?
4. Где на са́мом де́ле был Пётр?
5. Кака́я у Афана́сия Семёновича кварти́ра?
6. Счита́ет ли себя́ Пётр винова́тым?
7. Соглаша́ется Афана́сий Семёнович с тем, что Пе́тьке не повезло́?
8. Что они́ реша́ют сде́лать на сле́дующий день у́тром?
9. А что случа́ется?
10. Что де́лает Афана́сий Семёнович во дворе́?
11. Куда́ спря́тался Пётр?
12. Нашла́ ли мили́ция на кры́ше следы́?

# 5

А действительно, всё получилось так, как думал лейтенант. Вероятно Пётр уже залез на крышу, когда Афанасий Семёнович открыл дверь и сказал: «Это за тобой, Петя». Бесшумно он пошёл по крыше в ту сторону, куда не выходило ни одного окна и ни одной двери дома. Глаза у него немного привыкли к темноте, и он увидел, что внизу стоит милиционер. Он понял, что окружают дом.

– Не везёт, – подумал Петька.

Петька лежал и ждал, но прошло не больше двух или трёх минут, когда раздался милицейский свисток. В тот же момент милиционер быстро побежал вдоль стены.

– Везёт, – подумал Петька, – удивительно как везёт.

Через несколько минут он оказался на самом краю села. Места ему были знакомы. Он шагал по ночной дороге, весёлый и полный сил. Ему казалось, что вся жизнь у него впереди. Иногда до него доносились милицейские свистки, но он совсем не волновался и даже шагу не прибавил.

Часа через два, рано утром, он увидел большой грузовик* и услышал вопрос шофёра:

– Слушай, браток, сколько времени, не знаешь?

У Петьки давно уже не было часов, но он сделал вид, что посмотрел на часы и сказал:

---

* грузовик: см. стр. 46

грузови́к

лесопу́нкт

– Двáдцать минýт четвёртого.

– Ой-ой-ой, – мéдленно сказáл шофёр, – порá, знáчит, éхать.

Пéтька подошёл к немý.

– Колхóзная машúна? – спросúл он.

– Да – úздали éду. Закурúть есть у тебя́?

Пéтька дал емý сигарéту. Оказáлось, что шофёр рабóтает на лесопýнкте*, киломéтрах в трёхстáх отсю́да.

– А слéсарь* у вас есть в мастерскóй? – спросúл Пéтька.

– Нет у нас сейчáс слéсаря, – сказáл шофёр. – А ты что, слéсарь?

Пéтька увéренно кивнýл головóй.

– Поéхать с вáми рáзве?

– Ну, лáдно, – отвéтил шофёр.

Слóвом, вскóре онú сидéли в машúне и éхали на лесопýнкт. Удивúтельно, но Пéтька совсéм не считáл, что он обмáнывает шофёра. Прéжде всегó, он твёрдо решúл начáть нóвую жизнь. То что происходúло рáньше, происходúло с кéм-то другúм!

На лесопýнкт онú приéхали вéчером. Лёша – шофёр – сказáл, что ужé пóздно идтú к дирéктору. На слéдующий день ýтром Лёша повёл Пéтьку к немý. Дирéктор немнóго удивúлся, что óпытный слéсарь вдруг сам приезжáет в глухóй лесопýнкт и желáет остáться на постоя́нную рабóту, но всё-таки прúнял. Пéтька получúл кóмнату и нáчал рабóтать. Он как ребёнок рáдовался томý, что, окáзывается, в рукáх у

---

* слéсарь: мáстер, котóрый рабóтает по метáллу

него профе́ссия, что он ну́жный челове́к, и бо́льше совсе́м не пил.

Он отли́чно рабо́тал и всё бо́льше и бо́льше люби́л своё де́ло . . .

Наступи́ла зима́, шёл снег. У всех на лесопу́нкте бы́ло весёлое настрое́ние.

Одна́жды у́тром Пе́тя встре́тил во́зле столо́вой одну́ из рабо́тниц лесопу́нкта – Ли́ю Матве́евну. Они́ поздоро́вались, а пото́м Ли́я сказа́ла:

– У вас есть де́ти, Пётр Семёнович?

Этот неожи́данный вопро́с беспоко́ил Пе́тю. Дире́ктору он сказа́л, что дете́й у него́ нет. Чтобы име́ть вре́мя поду́мать, Пе́тя отве́тил вопро́сом:

– А что тако́е, Ли́я Матве́евна?

– Сего́дня звони́ли из мили́ции, – отве́тила Ли́я Матве́евна, – спра́шивали, кто из мужчи́н появи́лся у нас но́вый за после́дние полго́да.

Пе́тя засмея́лся, чтобы показа́ть, что ему́ э́то совсе́м не интере́сно, махну́л руко́й и пошёл да́льше.

Голова́ у него́ ужа́сно кружи́лась.

– Не везёт, не везёт, – не́рвно повтори́л он про себя́. – Куда́ же скры́ться. На́до скоре́е реши́ть.

Он ме́дленно пошёл обра́тно в сто́рону мастерско́й. Он да́же не заме́тил, как дошёл до мастерско́й, но ребя́та сра́зу же уви́дели, что у него́ о́чень стра́нный вид.

– Что с ва́ми, Пётр Семёнович? – спроси́л оди́н из них.

– Я полежу́ немно́го. Вы рабо́тайте, – отве́тил Пе́тька и постара́лся улыбну́ться. – Я приду́.

48

В комнате он не снял пальто, только сел на кровать и положил голову на руки.

– Надо успокоиться, надо успокоиться, – повторил он несколько раз.

Что за дурак он был всё это время! Какой чёрт заставил его поверить, что он здесь в безопасности? Но он не убивал и не грабил. Как докажешь . . . Ведь даже у братиков сомнение. Нечего было дружить с бандитом, и брать у него деньги, и становиться в зависимость от него! Ему страшно было встречаться с людьми. С Лией Матвеевной. С директором лесопункта. С Лёшей.

– Надо бежать, бежать, – решительно сказал он себе. – Ведь не сказали, что ищут именно Груздева. В конце концов есть время подумать.

Наконец Петька решился и вышел из дома. Он посмотрел вдоль по улице в ту и другую сторону, потом он поднял воротник пальто и пошёл. Он всё время старался идти поближе к домам.

Лес начинался сразу же за домами. Село было небольшое, всего только одна улица.

В лесу снег был неглубок, но вдруг Петька вздрогнул от ужаса: от самых его ног тянулся ряд следов!

– Не терять голову, не терять голову, – повторял он про себя. – Спокойно подумать.

Как можно скорее надо было выйти на дорогу. Там следов не увидишь. Петька прибавил шагу. Он так был занят мыслями, что еле заметил бригадира, который шёл навстречу ему. Но вдруг ему пришло в голову, что бригадир видел его!

В это время он услышал шум машины, побежал с дороги и спрятался в лес, но всё труднее и труднее было бежать. Он не понимал, что за ним остаются на снегу следы. Он остановился около куста и лёг на снег лицом вниз. Петька не плакал, он просто лежал и ничего не чувствовал, ничего не ждал.

Грузовик, который слышал Петька, действительно привёз работников милиции. Очень скоро они увидели следы на снегу и остановили машину. Милиционеры вынули пистолеты. Все молчали. Метров сто шли по следу, не больше, потом остановились. Впереди, под кустом, лежала неподвижная, чёрная фигура человека, лицом в снег. Работники наклонились над Петькой. Двое взяли его под руки и поставили на ноги.

– Докуме́нты, – сказа́л ста́рший лейтена́нт.

Петька молчал. Тогда лейтенант сам вытащил паспорт из внутреннего кармана Петьки. Он быстро осмотрел его, положил уже в свой карман и зашагал обратно. За ним двое повели Петьку и посадили на грузовик.

На следующий день утром его привезли в Энск. – В Энске Иван Степанович Глушков, следователь* прокуратуры*, должен был производить следствие*. В помощники ему дали Диму Иващенко, молодого работника прокуратуры.

Для них обстоятельства дела были следующие: двое, с лицами покрытыми платками, в двенадцать часов ночи позвонили в дом инженера Никитушкина. Они сказали, что принесли телеграмму. Анна Тимофеевна, жена Никитушкина, открыла дверь. Они ударили её тяжёлым предметом по голове и убили. Вероятнее всего, это был кастет*. Оба грабителя были в перчатках*.

---

* следователь: человек, который проводит следствие (см. ниже)
* прокурату́ра: место, где следят за точным исполнением законов
* следствие: работа, которая проводится чтобы узнать обстоятельства преступления
* кастет, перчатках: см. стр. 52

В спальне на столе лежали шесть тысяч рублей, которые инженер должен был отдать завтра за машину «Волга». Один грабитель прошёл в спальню, в течение нескольких минут нашёл деньги и вышел обратно. В это время у второго грабителя упал платок с лица, и инженер Никитушкин узнал монтёра*, который недели за две до этого поправлял у них в доме свет. Никитушкин сказал: «Монтёр» – и сразу же получил удар по голове, от которого потерял сознание. Грабители, видимо, считали, что оба старика мёртвы, и выбежали из дома. Около часа ночи сосед Никитушкиных Серов увидел в доме свет, постучал в дверь, заглянул в окно и поднял тревогу. На месте преступления нашли зажигалку, которую, очевидно, потерял один из грабителей. В записной книжке Анны Тимофеевны оказалась записка: «Монтёр Клятов, Крайняя улица, –».

кастет

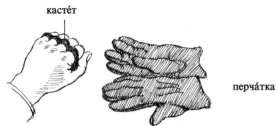

перчатка

Клятова на своей квартире не оказалось. Возникла мысль, что второй грабитель Пётр Груздев, бывший рабочий механического завода, которого год назад выгнали за пьянство. Груздев в это время уже не жил

---

\* монтёр: специалист по электрическим приборам

вместе с женой, а снимал квартиру в Яме, у семьи Анохиных. Оказалось, что в комнате Груздева ночуют три гражданина, жители города С., которые приехали к своему другу, но его не нашли. Однако, он им оставил письмо, в котором он пишет, что много лет обманывал их, когда сообщал о своей успешной жизни. На самом деле Груздев давно уже очень много пил. В письме есть неясная фраза о том, что телеграмма от друзей пришла как раз в тот момент, когда он решился «потерять остатки совести».

Клятов, два раза осуждённый*, нигде не работал, очень много пил, дружил с Груздевым и однажды вместе с ним был арестован милицией за хулиганство. –

Глушков помолчал, подумал.

– Значит, Клятова Никитушкин узнал? – спросил он наконец.

Иващенко молча кивнул головой.

– Кроме Груздева, у Клятова были ещё друзья, с которыми он пил?

– Случайные, – сказал Иващенко. – Постоянный был один – Груздев.

– По правде сказать, – продолжал Глушков, – что мы можем узнать сейчас до того, как нашли преступников? Вопрос первый: откуда Клятов узнал, что Никитушкин взял шесть тысяч рублей в сберкассе?

– Возможно, что когда Клятов поправлял у них свет, Анна Тимофеевна сама ему рассказала про деньги. И, когда Никитушкин брал в сберкассе день-

---

* осуждать/осудить: признавать/признать виноватым

ги, наро́ду бы́ло дово́льно мно́го. Хоть кто мог услы́шать.

– Пра́вильно, – отве́тил Глушко́в. – Вы́зовем рабо́т-
ников сберка́ссы. Всех до одного́.

– Серо́в, – сказа́л Ива́щенко, – э́то тот челове́к, кото́рый по́днял трево́гу, говори́т, что мно́го бы́ло разгово́ров о том, что инжене́р покупа́ет «Во́лгу». Кля́тов вполне́ мог случа́йно услы́шать разгово́р на э́ту те́му.

– Хорошо́, – сказа́л Глушко́в, – вы́зовем Серо́ва и спро́сим его́, с кем и когда́ он об э́том разгова́ривал. Узна́ем у врача́, когда́ мы смо́жем поговори́ть с Ники́тушкиным. Попро́сим мили́цию посма́тривать, не на́чал ли кто широко́ тра́тить* де́ньги. Ка́жется, бо́льше до аре́ста Кля́това и Гру́здева ничего́ нельзя́ сде́лать.

И рабо́та начала́сь. –

Ме́жду тем из мили́ции сообщи́ли, что Гру́здев на-
ходи́лся у дире́ктора де́тского до́ма в селе́ Кляги́не, но ему́ удало́сь бежа́ть. –

Наконе́ц позвони́ли из больни́цы: разреша́ют прие́-
хать к Ники́тушкину.

В больни́це им ста́ло я́сно, что Ники́тушкин ещё о́чень слаб.

Да, по́мнит он то́чно, что э́то был монтёр, тот, кото́рый неде́ли две наза́д поправля́л свет. А́нна Тимофе́евна хоте́ла у крова́ти поста́вить две ночны́е ла́мпы, что́бы чита́ть пе́ред сном. Могла́ ли А́нна Тимофе́евна сказа́ть монтёру, что они́ возьму́т де́нь-

---

* широко́ тра́тить: покупа́ть сли́шком мно́го

ги? Конéчно нет. Сосéди? Да, сосéди знáли, что онú получáют машúну. Кто úменно знал? Трýдно сказáть. Мóжет быть, и Серóв комý-нибудь расскáзывал.

Всё труднée и труднée стáло понимáть словá Никúтушкина. Он óчень устáл.

Ивáщенко берёт фотогрáфии и однý за другóй покáзывает Никúтушкину, но тот тóлько равнодýшно смóтрит. И вдруг глазá широкó открывáются.

– Монтёр, – говорúт он неожúданно грóмко. И совсéм тúхо продолжáет: – У негó платóк с лицá упáл, и он крúкнул дрýгу: «Давáй скорée, Пётр». Я узнáл егó и сказáл: «Монтёр». А он велéл другóму: «Успокóй старикá, Пётр».

– Знáчит, вы тóчно слúшали, что монтёр сказáл: «Давáй скорée, Пётр» и «Успокóй старикá, Пётр»?

– Да, úменно: Пётр!

Тут профéссор подаёт знак, что нáдо кóнчить разговóр.

# ВОПРОСЫ

1. Кого Пётр встретил через неделю?
2. Куда Пётр уехал с шофёром?
3. Кем он стал работать?
4. Как он чувствовал себя на лесопункте?
5. О чём спросила Лия Матвеевна?
6. Почему Пётр решил убежать?
7. Кто ловил его, и где?
8. Кто должен был производить следствие в Энске?
9. Что следователи знали о Петре и о Клятове?
10. Что помнит Никитушкин?

## 6

На пе́рвые вопро́сы Глушко́ва Гру́здев отвеча́л без вся́кого выраже́ния. Наконе́ц Глушко́в спроси́л ро́вным, да́же равноду́шным го́лосом:

– Скажи́те, Гру́здев, признаёте вы себя́ вино́вным* в том, что вме́сте с Кля́товым Андре́ем Оси́повичем огра́били кварти́ру инжене́ра Ники́тушкина?

Гру́здев за до́лгое вре́мя пе́ред сле́дствием по́нял, что он поги́б, отча́янно реши́л, что защища́ться бессмы́сленно.

– Признаю́, – споко́йно отве́тил Гру́здев.

– А в уби́йстве* жены́ инжене́ра А́нны Тимофе́евны признаёте себя́ вино́вным?

– Не по́мню, – сказа́л Гру́здев, – мо́жет быть, я уби́л, мо́жет, Кля́тов.

– Расскажи́те, как э́то происходи́ло.

– Вы зна́ете, граждани́н сле́дователь, – че́стно скажу́, не по́мню.

– Ну, как же вы не по́мните? – спроси́л Глушко́в, – де́ло-то о́чень серьёзное. Зна́ли, на что идёте. Вы ра́ньше гото́вились?

– Наве́рное, гото́вились, – согласи́лся Гру́здев, – то́лько э́тим Кля́тов занима́лся. Он узна́л, что Ники́тушкин «Во́лгу» получа́ет и до́лжен за неё де́ньги отдава́ть в магази́н.

– То есть, вы хоти́те сказа́ть, что де́ло предложи́л Кля́тов, а вас он взял помога́ть ему́?

---

* вино́вный: винова́тый
* уби́йство: де́йствие, когда́ челове́к убива́ет

– То́чно, то́чно, – закива́л голово́й Гру́здев.

– Хорошо́. Когда́ же он вам э́то предложи́л?

– То́чно-то я не по́мню. Кля́тов рассказа́л, что он свет поправля́л у одного́ инжене́ра в Коло́дезях. Инжене́р маши́ну «Во́лга» покупа́ет, и, зна́чит, де́ньги на маши́ну бу́дут у него́ до́ма.

– Вы понима́ли, что он предлага́ет огра́бить Ники́тушкиных?

– Да как сказа́ть, – дога́дывался.

– Кля́тов пря́мо сказа́л, что он предлага́ет огра́бить?

– То́чно не по́мню. Нет, ещё не в э́тот раз, ка́жется, по́зже.

– Вы что же, ка́ждый день об э́том с Кля́товым говори́ли?

– Почти́ ка́ждый. То́чно-то я не по́мню, но, как вы́пьем, так и пойдёт разгово́р. Де́нег он мне в долг дава́л – то пять рубле́й, то де́сять.

– Что же вы ему́ отве́тили, когда́ он спроси́л, пойдёте ли вы с ним?

– Я был тогда́ пья́ный и сказа́л, что пойду́. Мне тогда́ на́до бы́ло у него́ де́нег попроси́ть, так я боя́лся, что он не даст, е́сли откажу́сь.

– Ну, а что да́льше случи́лось?

– Шесто́го пришёл он ко мне в Я́му ве́чером и говори́т: «Ну, Пе́тька, вре́мя пришло́. Ники́тушкин из сберка́ссы де́ньги взял. За́втра, часо́в в оди́ннадцать пойдём с тобо́й».

– Зна́чит, вы согласи́лись?

– Мне снача́ла стра́шно ста́ло. Я хоть глупосте́й и

мно́го сде́лал, а преступле́ний пока́ ешё не совер-
ша́л*. Ну, Кля́тов буты́лку доста́л. Мы с ним вы́-
пили. Пото́м договори́лись о том, что он за мной
часо́в в оди́ннадцать зайдёт и мы пое́дем к Ники́-
тушкиным.

Глушко́в всё вре́мя о́чень внима́тельно следи́л за
Гру́здевым. Ему́ каза́лось, что Гру́здев не то́лько ни-
чего́ не скрыва́ет, но да́же не хо́чет скрыть. Он рас-
сказа́л, как он получи́л телегра́мму, как он реши́л
скры́ться от друзе́й, как он ходи́л по го́роду, зашёл
в кино́. Како́й фильм смотре́л, не по́мнит.

– А как вы добра́лись до Коло́дезей? – спроси́л
пото́м Глушко́в.

– Не по́мню.

– То есть, как не по́мните? Шли вы пешко́м и́ли
е́хали на авто́бусе?

– Не по́мню, – повтори́л Гру́здев.

– Гру́здев, – сказа́л Глушко́в, – вы так то́чно и я́сно
нам всё рассказа́ли – а вдруг вы переста́ли по́мнить?
Согласи́тесь са́ми, что э́то стра́нно.

– Вы пойми́те, граждани́н сле́дователь, всё де́ло
гото́вил Кля́тов, а меня́ взял помога́ть себе́. Я для
сме́лости кре́пко вы́пил. И, коне́чно, ничего́ не по́м-
ню.

– Зна́чит, вы не по́мните, как вошли́ к Ники́туш-
киным? Постуча́ли вы в дверь и́ли позвони́ли? Кто
вам откры́л дверь?

– Не по́мню.

---

* соверша́ть/соверши́ть: де́лать/с-

– Где живу́т Ники́тушкины? Где лежа́ли де́ньги?

– Не по́мню. Кля́тов ещё дал мне вы́пить.

Глушко́в до́лго смо́трит на Гру́здева, пото́м вынима́ет из я́щика зажига́лку и пока́зывает ему́.

– Скажи́те, – спра́шивает он, – э́то ва́ша зажига́лка?

– Как вам сказа́ть, – пожима́ет плеча́ми Гру́здев. – Вообще́-то моя́, мне когда́-то друзья́ подари́ли. Но тепе́рь я уж не зна́ю, моя́ и́ли не моя́.

– Как э́то поня́ть? – спра́шивает Глушко́в.

– Ви́дите ли, – объясня́ет Гру́здев, – Кля́тов мно́го раз предлага́л мне прода́ть зажига́лку. Очень она́ ему́ нра́вилась. А я не хоте́л прода́ть – но тепе́рь мне де́ньги о́чень бы́ли нужны́. Я ему́ и дал зажига́лку. С тем, коне́чно, что он мне её отда́ст. Долг с меня́ полу́чит и зажига́лку отда́ст.

– Вы не по́мните, где вы её потеря́ли?

– Я же вам говорю́, у меня́ её Кля́тов взял.

– Хорошо́, Гру́здев, – говори́т Глушко́в, – иди́те и поду́майте. Сове́тую вам хорошо́ поду́мать. Ра́ньше и́ли по́зже придётся вам всё рассказа́ть. – – –

В конце́ ноября́ Кля́тов жил на ю́ге. Па́спорт у него́ был на чужо́е и́мя. Он снял ко́мнату. Пил ма́ло и всегда́ оди́н. Во́дку покупа́л ка́ждый раз в друго́м магази́не. Каза́лось, жил совсе́м в безопа́сности. То́лько, на́до же бы́ло ему́ пойти́ на танцева́льную площа́дку. С ю́ных лет он люби́л танцева́ть.

Одна́жды ве́чером, когда́ Кля́тов собира́лся проводи́ть де́вушку, его́ вдруг с двух сторо́н взя́ли под руки. Он не успе́л огляну́ться, как уже́ посади́ли в маши́ну и повезли́ в кварти́ру. Адреса́ у него́ не спросили! У него в комнате милиционеры ничего не нашли, только денег триста рублей.

На следующий день его привезли в Энск. И вот начинается первый допрос*.

Глушков спрашивает его, поправлял ли он свет у инженера Никитушкина? Да, поправлял свет. Кто его пригласил? Анна Тимофеевна, жена Никитушкина. «Спросите её, она вам сама скажет!» Таким образом Клятов как бы говорит, что он ничего не знает об убийстве Анны Тимофеевны. На самом деле он отлично знает, что Анну Тимофеевну убили, и следователь отлично знает, что он врёт.

Знает ли Клятов Груздева?

Конечно знает. Пил с ним много. Однажды даже в милицию вместе попали. Заходил к нему проститься, но не нашёл. У Груздева сидели какие-то гости. Сказали, что его друзья.

Почему же, спрашивает Глушков, если он в ограблении Никитушкина участия не принимал и, значит, ни в чём не виновен перед законом, почему же тогда он уехал и жил по чужому паспорту?

– Хотелось новую жизнь начать.

Следователь понимает, что придётся провести много допросов, что это требует очень много времени.

– На что вы жили после того, как вас выгнали с завода? Ведь вы нигде не работали. А у вас нашли триста рублей. Да Груздеву вы дали двести – продолжал допрос Глушков.

---

* допрос: ряд вопросов, которые следователь ставит преступнику (допрашивать/допросить)

– Ну, ходи́л по дома́м, предлага́л свет попра́вить. Я же ра́ньше монтёром был!

– Назови́те кварти́ры, где вы поправля́ли свет.

– Ра́зве запо́мнишь, граждани́н сле́дователь? Войдёшь в большо́й дом, постучи́шь в одну́ дверь за друго́й, где́-то попра́вишь.

Сле́дователь вынима́ет из я́щика зажига́лку и пока́зывает Кля́тову.

– Вам знако́ма э́та зажига́лка?

– Как же незнако́ма – э́то Петуха́ зажига́лка, Гру́здева.

– Он её потеря́л у Ники́тушкина?

– А я не зна́ю, граждани́н сле́дователь. Я там не́ был.

– Гру́здев говори́т, что он, когда́ брал у вас две́сти рубле́й в долг, о́тдал вам за э́то зажига́лку.

– Ма́ло ли что он говори́т. Что же я, глу́пый – две́сти рубле́й даю́ и беру́ за э́то зажига́лку?

Допро́с продолжа́лся ещё до́лго. Одна́ко, в са́мом де́ле, без конца́ повторя́лось одно́ и то же. Ива́щенко на́чал серди́ться, но Глушко́в бро́сил на него́ стро́гий взгляд, и Ди́ма взял себя́ в ру́ки. Сам Глушко́в был соверше́нно споко́ен. Когда́ ему́ показа́лось, что для пе́рвого допро́са доста́точно, он посове́товал Кля́тову хорошо́ поду́мать и ко́нчил допро́с.

Сле́дствие продолжа́лось. Не́сколько раз допра́шивали Гру́здева. Мно́го раз допра́шивали Кля́това. Гру́здев по-пре́жнему признава́лся и говори́л, что ничего́ не по́мнит. Кля́тов по-пре́жнему от всего́ отка́зывался.

óчная стáвка

И всё-таки с течéнием врéмени у Глушкóва всё мéньше и мéньше оставáлось сомнéние, что Грýздев действи́тельно винóвен. Это был слáбый человéк.

Наконéц назнáчили* óчную стáвку*.

Таки́м óбразом бы́вшие друзья́ опя́ть сидéли друг прóтив дрýга, и слéдователь напоминáл им о прáвилах на óчной стáвке. Оба слýшали мóлча.

– Грýздев, признаёте ли вы, что . . .

– Да, признаю́.

Кля́тов вздрóгнул. Этого он никáк не ждал.

---

* назнáчить: определи́ть день чегó-нибудь

Между тем Груздев спокойно рассказывал всё: что приехали друзья, и поэтому он уехал прямо в Колодези. С Клятовым много выпил, потом пошли в одну квартиру. Что потом случилось, он не помнит. Только, что через несколько минут выскочили на улицу, и Клятов сказал: «Ты иди в одну сторону, я – в другую, и лучше сразу же уезжай отсюда». Ночью он поехал к Афанасию Семёновичу.

– Клятов, вы подтверждаете* показания* Груздева?

Клятов молчит. Он действительно грабил Никитушкиных, но ведь не с Груздевым же. Чего же Груздев врёт? Но вдруг ему приходит в голову гениальная мысль. Может быть, он и в самом деле так крепко выпил, что ему помнится, как он Никитушкиных грабил?

– Клятов, так вы признаётесь?

– Да, гражданин следователь, признаю. Не всё правда. Не во всём Груздев прав. Но главное признаю. – Я действительно у инженера свет поправлял и там узнал, что много денег у них будет. Об этом я рассказал Груздеву, но он как будто бы на это и внимания не обратил. Потом Груздев стал у меня просить деньги в долг. Я спрашиваю: а из чего отдавать будешь? Было у меня двести рублей. Груздев тогда и говорит: давай, Андрей, завтра квартиру твоего инженера возьмём. Вещей брать не будем, только деньги.

Мне уже давно, – продолжает Клятов, – надоело

* подтверждать/подтвердить: считать правильным
* показание: то, что объясняет человек при суде или перед следователем

жить по-прежнему. Поэтому я решился в последний раз сразу достать деньги и потом исчезнуть.

Договорились мы встретиться, но утром, когда я уже был не пьян, я решил отказаться. А так как Груздева дома не нашёл, надо было поехать в Колодези. Когда я там сказал, что идти не хочу, Груздев так рассердился, что я замолчал. Он мне показал кастет: «Гляди, говорит, какую я штуку достал». А я испугался: «Ты, говорю, Петя, лучше эту штуку оставь, а то убийство может получиться». А Петя смеётся: «Да, нет, я его в карман положу и вынимать не буду».

Мы подошли к дому, позвонили, сказали, что телеграмма. Анна Тимофеевна открыла дверь. По Груздеву не видно было, что он пьян, он держался обыкновенно. Только когда он руку поднял и ударил старушку*, я увидел, что у него на руке кастет. Может, он забыл, что у него кастет на руке, может, он только хотел испугать старушку. Груздев не убийца. В первый раз на дело пошёл. Это, наверное, просто несчастный случай. –

Чувствуется, эти слова и тон должны убедить следователя в откровенности Клятова.

Он опять молчит, потом собирается с силами и продолжает:

– Ну, старик в сени вышел, увидел, что жена лежит. Груздев побежал в комнату и быстро вернулся с деньгами. Старик, однако, сидел по-прежнему возле жены и не двигался. Именно в эту минуту платок у меня

---

* старушка: старая женщина

упа́л с лица́, и стари́к говори́т: «Монтёр». Узна́л, зна́чит. Вот несча́стье. Но Пе́тька уда́рил его́ по голо́ве. Стари́к упа́л, и мы вы́скочили на у́лицу. Пе́тька дал мне де́ньги, он и счита́ть не стал, пото́м оказа́лось, что се́мьсот рубле́й бы́ло, и говори́т: «Ты – в одну́ сто́рону, я – в другу́ю. И лу́чше сра́зу же уезжа́й отсю́да». Я пря́мо на вокза́л отпра́вился, дожда́лся пе́рвого по́езда и уе́хал. Рубле́й четы́реста про́жил, и три́ста у меня́ нашли́. Вот и получа́ется се́мьсот. –

Наступа́ет молча́ние. Расска́з ко́нчился. Глушко́в повора́чивается к Гру́здеву.

– Гру́здев, – говори́т он, – вы подтвержда́ете показа́ния Кля́това?

– Нет, – отвеча́ет Гру́здев, – непра́вда всё э́то, непра́вда!

Во вре́мя обстоя́тельного расска́за Кля́това Пе́тя не́сколько раз чу́вствовал, что ему́ хо́чется бро́ситься на Кля́това и уда́рить его́ в лицо́. С друго́й стороны́ он чу́вствовал себя́ про́сто не в си́лах защища́ться. Ско́лько раз он признава́л, что уча́ствовал в ограбле́нии Ники́тушкиных, и с како́й си́лой обора́чивалось тепе́рь э́то про́тив него́!

– Ва́ши показа́ния, – неторопли́во говори́т Глушко́в, – отлича́ются от показа́ний Кля́това. Что и́менно в показа́ниях Кля́това вы отрица́ете\*?

– Всё, всё, – отвеча́ет Пе́тя. – Ничего́ не́ было! Всё отрица́ю. Всё он врёт с нача́ла и до конца́.

– Вы отрица́ете, что вме́сте с Кля́товым заду́мали ограбле́ние Ники́тушкиных?

---

\* отрица́ть: отка́зываться от чего́-нибудь

Пётька растерянно и молча смотрит на Глушкова.

– Да или нет? – спрашивает Глушков.

– Задумывал, – еле слышно говорит Пётр. У него голова идёт кругом.

– Договорились вы с Клятовым вечером седьмого сентября встретиться? Да или нет?

– Да или нет – да или нет, – повторяет он слова Глушкова.

– Успокойтесь, Груздев, – ровно говорит Глушков. – Скажите нам, встретились вы с Клятовым седьмого сентября или не встретились?

– Пишите, что хотите!

– Мы хотим писать правду, – спокойно говорит Глушков, – и вы расскажите нам её.

– Правду? – спрашивает Пётька. – Мы договорились, что Клятов за мной зайдёт. Но я в этот день получил телеграмму, что едут друзья. Мне стыдно было их видеть. Вот я и убежал и письмо им оставил. И нигде у Никитушкиных я не был, и никого не грабил. А Клятов грабил с кем-то другим. С кем я не знаю. Вот если хотите правду, то и пишите.

– Хорошо, – говорит Глушков, – значит, вы отрицаете все свои прежние показания?

– Да, отрицаю.

– Вы говорите, что договорились с Клятовым ограбить Никитушкиных, но в последнюю минуту решили этого не делать, и убежали! Зажигалку у Никитушкиных потерял вы или Клятов?

– Я уже говорил, – робко отвечает Груздев, – Клятов мне деньги дал и за это взял зажигалку.

– Кля́тов, кто потеря́л зажига́лку – вы и́ли Гру́здев?

– Я ж говори́л, граждани́н сле́дователь, како́й дура́к две́сти рубле́й даст и за э́то полу́чит таку́ю шту́ку. Гру́здев сам, наве́рное, и потеря́л.

– – –

Когда́ конво́йные* увели́ их, Глушко́в и Ива́щенко до́лго разгова́ривали.

– Тут, очеви́дно, кро́ме де́дег, ещё что́-то, – говори́т Ива́щенко, – они́ ненави́дят друг дру́га.

– Я да́же ве́рю, – заду́мчиво говори́т Глушко́в, – что он дал Кля́тову се́мьсот рубле́й и не по́мнит, куда́ спря́тал остальны́е де́ньги. Но бо́льше всего́, удивля́ет меня́ Кля́тов. Како́го чёрта он пошёл на преступле́ние, кото́рое пло́хо пригото́вил?

## ВОПРО́СЫ

1. Что узна́л Кля́тов?
2. Как он э́то узна́л?
3. Почему́ Гру́здев реши́л помога́ть Кля́тову?
4. Что Гру́здев расска́зывает о зажига́лке?
5. Где нашли́ Кля́това?
6. Что он собира́лся де́лать, когда́ его́ арестова́ли?
7. Кем рабо́тал Кля́тов?
8. Что наконе́ц назна́чили?
9. Соглаша́ются Гру́здев и Кля́тов в том, что случи́лось?
10. Что ду́мает Ива́щенко?

---

\* конво́йный: милиционе́р (и́ли солда́т)

Афана́сий Семёнович до́лго ду́мал о том, хва́тит ли у Степа́на Гаври́лова о́пыта на тако́е серьёзное де́ло, но наконе́ц он уе́хал в Энск чтобы обрати́ться к нему́.

Степа́н о́чень удиви́лся, когда́ он уви́дел своего́ бы́вшего дире́ктора.

– Ну, как у тебя́ дела́, Стёпа?

– Иду́т. Как говори́тся, дела́ иду́т.

– У меня́ к тебе́ де́ло, Стёпа, – сказа́л Афана́сий Семёнович. – Ты Гру́здева по́мнишь? Он был поста́рше тебя́ лет на пять.

– Ду́маю, что да, но э́ти бра́тики мне всегда́ каза́лись таки́ми взро́слыми.

– Ну, ла́дно, э́то не ва́жно. Тебе́ на рабо́ту ско́ро идти́?

– Час ещё есть.

– Ну хорошо́. Тогда́ я тебе́ расскажу́, что случи́лось с э́тим Гру́здевым.

Степа́н слу́шал расска́з с больши́м интере́сом. Но когда́ Афана́сий Семёнович око́нчил свой расска́з и предложи́л, что́бы Степа́н вёл де́ло Гру́здева, тот реши́тельно отказа́лся от э́того предложе́ния. Афана́сий, одна́ко, так уве́ренно и убеди́тельно говори́л о невино́вности Пе́тьки, что, наконе́ц, Стёпа согласи́лся, несмотря́ на свою́ мо́лодость и нео́пытность, взя́ться за де́ло.

– По пра́вде сказа́ть, у меня́ возни́кли не́которые сомне́ния в вино́вности Гру́здева, – твёрдо сказа́л он.

– Каки́е же?

– А вот каки́е. Пе́рвое: е́сли бы Гру́здев гра́бил, он не пое́хал бы к вам. Он же понима́ет, что у вас пре́жде всего́ бу́дут его́ иска́ть. Второ́е: е́сли бы Гру́здев гра́бил, он бы не стал вам и бра́тикам расска́зывать о том, что он с Кля́товым договори́лся идти́ гра́бить и убежа́л в после́днюю мину́ту. Тре́тье: е́сли бы Гру́здев гра́бил, он не стал бы писа́ть в письме́, что он, мол, гото́в был оконча́тельно потеря́ть со́весть. И ещё одно́: Ники́тушкин по́мнит, что когда́ второ́й граби́тель убежа́л в другу́ю ко́мнату, то Кля́тов позва́л: «Пётр». Стра́нно, что тако́й о́пытный престу́пник, как Кля́тов, гро́мко называ́ет своего́ това́рища по и́мени. Наконе́ц: из Энска ухо́дят два ночны́х по́езда, в двена́дцать часо́в и в два часа́ но́чи. Вы говорите, что Груздев купил в вокзальном ресторане что-то поесть в дороге. Но в два часа ночи ресторан закрыт. К вам он когда приехал?

— В десять утра.

— Скажите, — спросил Степан, — вы говорите, будто кто-то его на вокзале окликнул*?

— Так он мне сам рассказывал.

— Тоже надо запомнить.

— Ты сможешь добавить к делу нового материала?

— Конечно, вполне возможно, что следствие допустило противоречия*, на которые я смогу обратить внимание суда. Например, Груздев рассказывал вам, что его кто-то окликнул в вокзальном ресторане. Думаю, что можно найти свидетелей*; я имею право попросить суд вызвать свидетеля, если, по-моему, именно это важно для дела. Я предлагаю, чтобы вы завтра позвонили Ивану Степановичу Глушкову и сказали, что вы хотите с ним встретиться. Попросите проверить, видел ли кто-нибудь Груздева на вокзале. Груздев, должно быть, об этом на следствии не рассказал.

Афанасий Семёнович понял, что молодой адвокат Гаврилов теперь изо всех сил взялся за дело Груздева!

– – –

Шли дни. Снова и снова допрашивали Клятова. Снова и снова допрашивали Петра.

Клятов твёрдо стоял на своём. Нельзя было найти

---

\* окликнуть: позвать кого-нибудь чтобы остановить
\* противоречие: одно предложение не согласно с другим
\* свидетель: человек, который видел то, что произошло

71

в его показаниях хоть бы мелкое противоречие. Следователи с каждым допросом всё больше верили ему.

– Сложнее с Груздевым. Груздев то признавался, то отказывался от признаний. Возили его в Колодези. Дом Никитушкиных он показать не смог. Груздев от защитника\* отказывается. Потом вдруг заявляет, что непременно хочет иметь адвоката, и не кого-нибудь, а именно Гаврилова.

Пока Гаврилов знакомился с делом, Груздев в долгие ночи понял, что он погиб, отчаянно решил, что бессмысленно защищаться. Именно в это время его вызвали на свидание с адвокатом.

Когда вошёл Груздев, Степан вздрогнул. Неожиданно старым показался ему его товарищ по детскому дому. Груздев мрачно смотрел на Степана.

– Садитесь, пожалуйста, – сказал Гаврилов, – вы меня не помните? Мы с вами воспитывались в одном детском доме, у Афанасия Семёновича. Гаврилов моя фамилия, Стёпа Гаврилов.

– Да, я не помню вас.

– Ко мне Афанасий Семёнович приезжал, – продолжал Степан.

– Он уже знает что я признался в убийстве и грабеже\*?

– Да, знает, но Афанасий Семёнович и я этому не верим.

– Как же так? Вы меня защищать собираетесь?

– Да.

---

\* защитник: человек, который на суде защищает преступника
\* грабёж (-á): действие, когда грабят

– А я ужé не хочý, – неожи́данно гро́мко и ре́зко сказа́л Пётр. – Я винова́т и до́лжен отвеча́ть. Я ни о чём с ва́ми говори́ть не жела́ю и не бу́ду. По́няли?

– Вы собира́етесь доказа́ть, что с ума́ сошли́? Нет, вам на́до споко́йно слу́шать меня́: Я взя́лся за ва́ше де́ло по двум причи́нам. Во-пе́рвых, меня́ проси́л Афана́сий Семёнович. Во-вторы́х, я не счита́ю ва́ше положе́ние безнадёжным.

– А убежа́л я – и пото́м из Кляги́на?

– Ну, – усмехну́лся Гаври́лов, – обыкнове́нная вещь. Вам стра́шно ста́ло.

– А почему́ же вы за моё де́ло берётесь? Призна́ние есть. Пра́вда, пото́м отказа́лся, но э́то же от стра́ха.

– Врёте! – воскли́кнул Степа́н.

– Ну, вру, – согласи́лся Пётр, – а как вы э́то дока́жете?

– Са́мым обыкнове́нным о́бразом. Про́сто всё прове́рю. Шаг за ша́гом.

И он подро́бно рассказа́л Петру́, как – по его́ мне́нию – произошло́ всё.

– А когда́ Кля́тов услы́шал, что вы призна́лись, он то́тчас же реши́л воспо́льзоваться э́тим. Норма́льный престу́пник всегда́ признаёт как мо́жно ме́ньше.

– А е́сли я откажу́сь от адвока́та? – сказа́л Пётр.

– Зна́ете что, мне э́то надое́ло, – отве́тил Степа́н. – Пе́рвый раз в жи́зни ви́жу, чтобы приходи́лось заставля́ть челове́ка получи́ть оправда́ние*.

Он встал, и вид у него́ со спины́ был са́мый реши-

---

* оправда́ние: реше́ние суда́, что челове́к невино́вен

тельный. Он взя́лся за две́ри и откры́л её. Конво́йные вскочи́ли.

– Всё пропа́ло, – поду́мал Гаври́лов, но вдруг услы́шал о́чень негро́мкий го́лос Пе́тьки:

– Посто́йте!

Конво́йные подошли́, и оди́н из них спроси́л:

– Ко́нчили, това́рищ адвока́т?

– Нет ещё, – отве́тил Гаври́лов, – вы не мо́жете принести́ нам све́жей воды́?

– Одну́ мину́точку.

О́чень дли́нный расска́з Петра́ мо́жно опусти́ть, потому́ что чита́телю всё уже́ изве́стно. – Когда́ Пе́тька око́нчил свой расска́з, Степа́н спроси́л:

– А у вас и́ли у Кля́това не́ было ещё како́го-нибудь знако́мого, кото́рого то́же зову́т Пётр?

– Нет.

– Тепе́рь скажи́те, – спроси́л ро́вно Гаври́лов, – кто вас окли́кнул в вокза́льном рестора́не? Отку́да был э́тот челове́к? С заво́да и́ли так, знако́мый по пья́ному де́лу? Попро́буйте вспо́мнить.

– Нет, не вспо́мню, сказа́л Пётр. – Я испуга́лся, когда́ услы́шал, что меня́ зову́т. Мне не до того́ бы́ло, что́бы смотре́ть кто. То́лько окли́кнули меня́ «Пету́х». А так меня́ на заво́де зва́ли.

– Хорошо́, – сказа́л Гаври́лов, – сейча́с мы расста́немся. Я к вам приду́ че́рез неде́лю. Постара́йтесь за э́то вре́мя вспо́мнить, кого́ вам напомина́ет э́тот го́лос на вокза́ле.

– – –

Посреди́ зимы́ мы получи́ли письмо́ от Афана́сия

Семёновича, в котором он расска́зывал обо всём, что неда́вно случи́лось в Энске. Писа́л он о разгово́ре с Глушко́вым, о молодо́м защи́тнике Пе́тьки и предлага́л, чтобы оди́н из нас прие́хал в Энск дать показа́ния Глушко́ву, а друго́й написа́л в Энский областно́й суд заявле́ние о том, что хо́чет дать показа́ния.

Мы реши́ли, что дава́ть показа́ния сле́дователю пое́ду я. На суд мы, коне́чно, пое́дем все тро́е, но свиде́телем на суде́ выступа́ть бу́дет Серге́й.

Сейча́с предстоя́ло е́хать мне. И вдруг, в полови́не пе́рвого но́чи, когда́ я уже́ собира́лся ложи́ться спать, Серге́й яви́лся ко мне домо́й. Он, ока́зывается, вспо́мнил то, что расска́зывал нам Пётр в Кляги́не. Когда́ Пётр уезжа́л из Энска, ему́ показа́лось, что на вокза́ле его́ кто́-то окли́кнул.

– Что же ещё мы мо́жем сде́лать? – спроси́л я.

Серге́й доста́л из карма́на бума́жку и положи́л на стол.

– КК, – сказа́л он, – Константи́н Коробе́йников, село́ Едрово, Но́вгородская о́бласть. Если по́мнишь, рабо́тал с Пе́тькой на одно́м заво́де.

Мне вспо́мнилась ночь в Энске.

– Что же мо́жет сде́лать Коробе́йников? – спроси́л я.

– Пое́хать в Энск, прийти́ на заво́д и поспра́шивать ребя́т.

– То есть то же са́мое, что мо́жет сде́лать и сле́дователь!

– Нет, не то же са́мое. Коробе́йников рабо́тал на заво́де не́сколько лет, он зна́ет там всех и ка́ждого, у него бóльше возмóжностей найти, чем у слéдователя.

– Ты хóчешь, чтоб я éхал в Энск?

– Да. Есть прямóй пóезд от Москвы́. Рáно у́тром бу́дешь в Едрове. И застáвь Коробéйникова поéхать в Энск.

В Едрове Коробéйников рассказáл, что он действи́тельно дружи́л с Петрóм, но бóльше не получáет писем от негó.

– Мéжду прóчим, мне ужé задавáли* вопрóсы о Пéтьке. Не знáю – мóжет быть, рабóтник из мили́ции, но он нé был в фóрме. Я показáл ему́ пи́сьма от Пéтьки.

Я реши́л рассказáть Коробéйникову всю истóрию. Потóм объясни́л, что нáдо ему́ поéхать в Энск, поискáть на завóде тогó человéка, котóрый окли́кнул Пéтьку.

– Поéду, – отвéтил Кóстя.

– – –

Часóв в оди́ннадцать я приéхал в гóрод Энск и позвони́л Глушкóву. Он назнáчил мне разговóр на четы́ре часá дня.

– Что же вы желáете показáть по дéлу Петрá Семёновича Гру́здева?

Я нáчал говори́ть. Глушкóв слу́шал меня́ óчень внимáтельно. Потóм он записáл мой показáния.

Затéм я взял такси́, назвáл áдрес Тóни.

– Ну, как вы ду́маете? – спроси́ла Тóня – онá со стрáхом смотрéла на меня́.

---

* задавáть/задáть: стáвить/по-

Я рассказа́л ей о своём разгово́ре с сле́дователем.

– Я то́же была́ у него́, – сказа́ла То́ня, – он сам меня́ вы́звал. Я с ним до́лго разгова́ривала. Стара́лась ему́ объсяни́ть, како́й Пе́тя.

То́ня была́ соверше́нно уве́рена, что де́ло пло́хо.

## ВОПРО́СЫ

1. Как встре́тил Гаври́лов своего́ бы́вшего дире́ктора?
2. Уве́рен ли Гаври́лов, что Гру́здев вино́вен?
3. Почему́ у него́ сомне́ния?
4. Смог Гру́здев показа́ть дом Ники́тушкиных?
5. Хоте́л он име́ть защи́тника?
6. Как убеди́л его́ Гаври́лов?
7. Что вдруг вспо́мнил Серге́й?
8. Кто до́лжен был выступа́ть свиде́телем на суде́?
9. Что рассказа́л Коробе́йников?
10. Что ду́мала То́ня обо всём де́ле?

## 8

Суд назна́чили на поне́дельник 13 февраля́.

В конце́ января́ опя́ть пришло́ письмо́ от Афана́сия Семёновича. Очень ему́ неспоко́йно за Петра́.

«Не удивля́йтесь, – писа́л Афана́сий Семёнович, – что Степа́н вас не бу́дет встреча́ть. Вообще́ лу́чше вам с ним до суда́ не ви́деться. Мо́жет созда́ться впечатле́ние, что адвока́т стара́ется убеди́ть свиде́теля в том, что поле́знее для подсуди́мого*».

Мы реши́ли, что на́до прие́хать за три дня до суда́. Пото́м мы посла́ли телегра́мму Коробе́йникову, что́бы он прие́хал к нача́лу суда́.

В Энске То́ня ждала́ нас. Мы вме́сте пошли́ в рестора́н обе́дать.

Нам уже́ принесли́ чёрный ко́фе, когда́ в зал вошёл Ко́стя Коробе́йников. Он поздоро́вался с на́ми. Несмотря́ на то, что сле́дователь уже́ был на заво́де, Ко́стя реши́л поспра́шивать втору́ю сме́ну.

Бо́льше говори́ть не́ о чем. Ко́стя торо́пится на заво́д, обеща́ет ка́ждый ве́чер звони́ть, и ухо́дит.

Ме́жду тем, Серге́й собира́лся на сле́дующий день напра́виться в Колоде́зи в наде́жде встре́тить люде́й, кото́рые смо́гут сказа́ть что́-нибудь но́вое. Но э́то ему́ не удало́сь.

Сам я пошёл в кинотеа́тр «Ко́смос», что́бы погово́рить с администра́тором* и контролёршами*.

---

\* подсуди́мый: челове́к, кото́рого су́дят
\* администра́тор: челове́к, кото́рый чём-нибудь руководи́т
\* контролёрша: же́нщина, кото́рая проверя́ет биле́ты

Администра́тор Пётр Никола́евич Кузнецо́в знал то́лько, что после́дний сеа́нс* 7 сентября́ ко́нчился в оди́ннадцать часо́в трина́дцать мину́т. А контролёрша Ве́ра Асла́нова, немолода́я, по́лная же́нщина, по́мнила что в э́тот ве́чер приходи́л молодо́й челове́к на оди́н сеа́нс, пото́м на друго́й, хотя́ фильм был о́чень ску́чный. Об э́том она́ уже́ рассказа́ла сле́дователю. Ей показа́ли фотогра́фии, и она́ среди́ них узна́ла Гру́здева. Э́то он пришёл и сиде́л четы́ре сеа́нса.

– Смотре́л Гру́здев после́дний сеа́нс до конца́?

Это она́ не зна́ла.

На са́мом де́ле, во всём э́том не́ бы́ло ничего́ но́вого. –

По́сле обе́да мы опя́ть сиде́ли в но́мере. Тяну́лось вре́мя. Но вдруг о́чень бы́стро в ко́мнату вошёл . . . Ко́стя Коробе́йников вме́сте с ещё одни́м челове́ком! Мы вскочи́ли.

– Вот привёл . . . Алексе́й Семёнович Коври́гин . . . ви́дел Пе́тьку . . . на вокза́ле . . ., Ко́стя тяжело́ дыша́л, он, ви́дно, о́чень бы́стро поднима́лся по ле́стнице.

– Я уже́ спра́шивал у всех, – продолжа́л он, – но без вся́кого результа́та. Дай, ду́маю, зайду́ к Коври́гину. Он ма́стером у нас был, а пото́м на пе́нсию ушёл, ещё когда́ мы с Пе́тькой рабо́тали.

Коври́гин рассказа́л, что он седьмо́го сентября́ у родны́х день рожде́ния отмеча́л. Ве́чером, возвраща́ясь домо́й, не успе́л на по́езд, и поэ́тому в вок-

---

* сеа́нс: представле́ние

за́льном рестора́не сто грамм и стака́нчик пи́ва взял. В рестора́не он вдруг уви́дел, Пе́тя Гру́здев идёт. Он окли́кнул его́, но тот не оберну́лся, то́лько на перро́н поспеши́л. Всё э́то Кvotríгин предложи́л рассказа́ть на суде́.

Сло́вно ка́мень упа́л у нас с души́.

– – –

В понеде́льник 13 февраля́ в де́сять часо́в начина́ется суде́бное заседа́ние* областно́го суда́.

* заседа́ние: собра́ние

В пе́рвом ряду́ в за́ле сидя́т все нам уже́ изве́стные свиде́тели: администра́тор Кузнецо́в, контролёрша Ве́ра Асланова, инжене́р Ники́тушкин (с ним сиди́т сын), Коври́гин и Серге́й. Около двере́й стоя́т конво́йные. В за́ле то́же пу́блика, среди́ них мы бра́тики, То́ня и Коробе́йников.

Наступа́ет молча́ние. Открыва́ется друга́я дверь, и в зал вхо́дят Серге́й Фёдорович Лады́гин, зде́шний прокуро́р*, адвока́т Грозуби́нский, защи́тник Кля́това, и – после́дним – молодо́й адвока́т Гаври́лов, защи́тник Гру́здева. Они́ садя́тся по обе́им сторона́м от стола́ суде́й.

Пото́м приво́дят подсуди́мых, Кля́това и Гру́здева, их то́же помеща́ют в пе́рвом ряду́, вме́сте с конво́йными.

Пу́блика шёпотом разгова́ривает ме́жду собо́й. Но опя́ть открыва́ется дверь, и вхо́дит председа́тель суда́ Фёдор Елисе́евич Панкра́тов с чле́нами суда́. Все встаю́т. Су́дьи занима́ют ме́сто за столо́м.

Панкра́тов неторопли́во объявля́ет, в чём состои́т обвине́ние*, прика́зывает Гру́здеву встать, задаёт ему́ обы́чные вопро́сы: фами́лия, и́мя, о́тчество*, год и ме́сто рожде́ния и т. д. Пото́м задаёт Кля́тову те же са́мые вопро́сы. Ока́зывается, что Кля́това уже́ суди́ли, оди́н раз осуди́ли на три го́да, друго́й раз – на пять лет, о́ба ра́за за воровство́*.

* прокуро́р: челове́к, кото́рый до́лжен наблюда́ть за исполне́нием зако́нов
* обвине́ние: призна́ние кого́-нибудь вино́вным в чём-нибудь
* о́тчество: втора́я часть и́мени (от и́мени отца́)
* воровство́: де́йствие, когда́ челове́к крадёт

82

Панкра́тов спра́шивает Гру́здева, поня́тно ли ему́ обвине́ние.

– Поня́тно.

– Признаёте ли вы себя́ вино́вным?

– Нет, не признаю́.

Тот же са́мый вопро́с задаётся Кля́тову, и он отвеча́ет, что признаёт себя́ вино́вным.

Лады́гин реша́ет, что пе́рвого ну́жно допроси́ть Кля́това.

– Расскажи́те, что вам изве́стно по э́тому де́лу.

Мы не бу́дем повторя́ть расска́з Кля́това. Он то́чно повторя́ет всё, что рассказа́л во вре́мя о́чной ста́вки.

– Кля́тов, сади́тесь. Гру́здев, вста́ньте.

– Что вы мо́жете рассказа́ть по э́тому де́лу?

Гру́здев молчи́т.

– Ну, – говори́т Панкра́тов, – мы ждём, Гру́здев.

– Я́ не винова́т, – говори́т наконе́ц Гру́здев, и с до́лгими па́узами расска́зывает, что́ по его́ мне́нию произошло́, и седьмо́го сентября́, и во вре́мя допро́сов.

– Как вы прика́жете понима́ть вас, Гру́здев? – спра́шивает Панкра́тов. – Когда́ вы говори́ли пра́вду, тогда́ и́ли тепе́рь?

– Тепе́рь, – раздаётся глухо́й го́лос Гру́здева, и он расска́зывает о том, как Кля́тов воспо́льзовался его́ показа́ниями.

Панкра́тов спра́шивает Лады́гина, есть ли у него́ вопро́сы.

– Да, – говори́т тот, – есть. Скажи́те, Гру́здев, отку́да у вас зажига́лка, кото́рую потеря́ли на ме́сте преступле́ния?

– Мне её мои друзья подарили. Я её не потерял, а отдал Клятову, когда я взял у него деньги.

– Клятов, – спрашивает Ладыгин, – вы признаёте, что Груздев отдал вам свою зажигалку?

Клятов встаёт и улыбается: – Нет, не признаю. Я, верно, эту зажигалку у него видел и несколько раз просил мне её продать, но он не хотел.

– Вопросов больше не имею, – говорит прокурор.

– Есть у адвокатов вопросы?

– У меня есть, – говорит Гаврилов.

– Скажите, Груздев, куда вы убежали, когда вы телеграмму получили?

– К Афанасию Семёновичу. Поезд туда ночью идёт. Тревожно мне стало, решил в кино посидеть до того, как уходит поезд.

– И сколько вы сеансов смотрели?

– Не помню, три или четыре.

– Куда вы пошли после кино?

– На вокзал. К Афанасию Семёновичу поезд в двенадцать часов уходит – это я точно помню.

– В вокзальном ресторане были?

– Да, зашёл в буфет, очень мне хотелось есть.

– Вы встретили кого-нибудь из знакомых на вокзале?

– Нет. То есть кто-то крикнул будто «Петух» – но я испугался и быстро побежал на перрон.

– Больше вопросов не имею, – говорит Гаврилов.

Панкратов вызывает Никитушкина, разрешает ему сидеть во время показаний. Ему очень тяжело отвечать на вопросы, он всё время борется с слезами.

К де́лу он добавля́ет ма́ло но́вого. То́лько, незнако́-
мый граби́тель, ка́жется, был в све́тлом костю́ме.

Ему́ задаёт вопро́с Гаври́лов: – Вы то́чно по́мните,
что второ́й граби́тель сказа́л «Пётр»?

– То́чно по́мню.

– Спаси́бо, това́риш Ники́тушкин, – говори́т Панк-
ра́тов.

Пото́м То́ня отвеча́ет. То́же ма́ло но́вого, но всё-
таки – к на́шему удивие́нию – говори́т, что зажи-
га́лка ей незнако́ма!

Тепе́рь до Серге́я дошла́ о́чередь. Он обстоя́тельно
и убеди́тельно расска́зывает всё, что мы уже́ зна́ем
о про́шлых года́х.

Пото́м начина́ется допро́с Афана́сия Семёновича.

Он расска́зывает, как в де́тстве Пётр был ма́льчик
сла́вный, но то́же говори́т о том, что он челове́к
слабохара́ктерный. Но к са́мому де́лу он, коне́чно,
ма́ло но́вого смог доба́вить.

Сле́дующий свиде́тель, Алексе́й Коври́гин, рассказа́л
о встре́че в вокза́льном рестора́не, как он окли́кнул
Петра́ «Пету́х», но ему́ не удало́сь останови́ть его́.

Спра́шивает Лады́гин:

– Скажи́те, това́рищ Коври́гин, вы во́дки вы́пили,
и на дне рожде́ния, и в рестора́не?

– Да, вы́пил, но пья́ным-то не́ был.

– Далеко́ э́тот челове́к был от вас?

– Ме́тров де́вять-де́сять, ду́маю.

– Спаси́бо. У меня́ бо́льше вопро́сов нет.

В два часа́ Панкра́тов объяви́л переры́в* до пяти́.

---

* переры́в: (коро́ткое) вре́мя для о́тдыха

# ВОПРÓСЫ

1. На какóе числó назнáчили суд?
2. Что смог сообщи́ть администрáтор?
3. А что говори́ла контролёрша?
4. С кем Коробéйников вошёл в нóмер?
5. Что рассказáл Коври́гин?
6. Кто председáтель судá?
7. О чём спрáшивает Лады́гин у подсуди́мых?
8. А Гаври́лов?
9. Как был одéт другóй граби́тель?
10. О чём спрáшивает Лады́гин у Коври́гина?

# 9

Продолжа́ется суде́бное сле́дствие.

Панкра́тов начина́ет задава́ть вопро́сы Алекса́ндре Федосе́евне Ано́хиной (стари́к от пья́нства в больни́це!).

По пра́вде сказа́ть, ничего́ но́вого показа́ния Ано́хиной в де́ло не добавля́ют.

И вот уже́ подхо́дит к суде́йскому столу́ Ве́ра Асла́нова, контролёрша кинотеа́тра «Ко́смос». Она́ расска́зывает, что обрати́ла внима́ние на Гру́здева, когда́ тот пришёл на второ́й сеа́нс.

Панкра́тов про́сит её посмотре́ть внима́тельно на подсуди́мых и сказа́ть, кто и́менно из них смотре́л в кинотеа́тре четы́ре сеа́нса.

Она́ молчи́т. До́льше молчи́т, чем ну́жно для того́, что́бы узна́ть челове́ка, кото́рого четы́ре ра́за ви́дела.

— Ну, Асла́нова, — говори́т Панкра́тов, — кто из подсуди́мых был у вас седьмо́го сентября́ на четырёх сеа́нсах?

— Вот э́тот, — говори́т Ве́ра Асла́нова и ука́зывает на Гру́здева.

А смо́трит куда́-то в сто́рону. Гаври́лов обора́чивается, что́бы последи́ть её взгляд. Ему́ ка́жется... да, коне́чно, он не оши́бся: Асла́нова смо́трит на Кля́това. И растеря́н её взгляд.

— В чём де́ло? — ду́мает Гаври́лов. — Почему́ она́ всё вре́мя так смо́трит на него́. Неуже́ли она́ его́ то́же зна́ет? Отку́да?

Панкра́тов спра́шивает адвока́тов, есть ли у них вопро́сы.

У Грозуби́нского вопро́сов нет. У Гаври́лова есть.

– Скажи́те, Асла́нова, – спра́шивает он, – подсуди́мого Гру́здева вы ви́дели, когда́ он четы́ре ра́за проходи́л на сеа́нс в кинотеа́тр, в кото́ром вы рабо́таете. А где вы ви́дели подсуди́мого Кля́това?

– Кля́това? Вот э́того, что ли?

– Да, вот э́того.

Асла́нова до́лго молчи́т . . .

– А я его́ и не ви́дела никогда́, – уве́ренно говори́т она́ наконе́ц, – то́лько сейча́с уви́дела его́. – Ну, мо́жет, и встреча́ла когда́-нибудь на у́лице, не запо́мню. Мо́жет, он к нам в кино́ когда́-то заходи́л. Но то́лько мы с ним незнако́мы.

– Вы уве́рены, что не ви́дели Кля́това?

Асла́нова молчи́т.

– Уве́рены и́ли нет?

– Уве́рена, – твёрдо говори́т она́.

– У меня́ бо́льше вопро́сов нет, – заключа́ет Гаври́лов.

Вызыва́ют свиде́теля Кузнецо́ва, администра́тора кинотеа́тра «Ко́смос».

Вхо́дит молодо́й челове́к, лет двадцати́ трёх, хорошо́, да́же о́чень мо́дно оде́тый. Он споко́йно идёт че́рез зал. Споко́йно стано́вится на ме́сто.

Кузнецо́в ро́вно отвеча́ет на вопро́сы, сообща́ет, что после́дний сеа́нс 7 сентября́, когда́ шёл фильм из морско́й жи́зни, зако́нчился в оди́ннадцать часо́в три́дцать мину́т.

Спрашивает Панкратов:

– Мог ли Груздев выйти посреди сеанса?

– Мог, конечно.

– Должен ли был кто-нибудь видеть Груздева, если он уходил посреди сеанса?

Нет, мог никто не видеть. У выхода стоит дежурная, но в зале темно, ей не видно, кто выходит.

Гаврилов слушает в пол-уха. Его это мало интересует. Одна мысль кружится у него в голове: почему Асланова так растерялась, когда увидела Клятова? В чём тут дело? Может быть, она знала Клятова раньше, он долго жил здесь. Она могла видеть его пьяным в кино. Почему тогда она прямо не сказала об этом?

Между тем допрос Кузнецова кончается. Панкратов уже говорит ему «садитесь», как вдруг Гаврилов поднимается со стула.

– Я прошу прощения, – говорит он, – у меня есть ещё два вопроса к свидетелю.

– Пожалуйста, – говорит Панкратов.

– Скажите, – спрашивает Гаврилов, – вы подсудимого Груздева знаете? Вот он сидит по левую руку от вас.

– Нет, не знаю.

– А подсудимого Клятова? – спрашивает Гаврилов.

Клятов встаёт, чтобы Кузнецов мог его получше рассмотреть.

– Нет, – говорит он, – впервые вижу.

– Благодарю вас, – говорит Гаврилов.

Допрашивают ещё несколько человек с завода, они

говорят о́чень хорошо́ о бы́вшем това́рище.

Вре́мя ме́жду тем идёт. Уже́ семь часо́в ве́чера.

Панкра́тов объявля́ет переры́в до десяти́ утра́ сле́дующего дня.

В коридо́ре мы с волне́нием смо́трим на Гаври́лова.

– Мне показа́лось стра́нным, – говори́т он, – что Асла́нова так волнова́лась, когда́ она́ уви́дела Кля́това. Вы заме́тили э́то?

Да, кива́ем голова́ми.

– Не понима́ю, – продолжа́ет Гаври́лов. – Я её спроси́л, зна́ет ли она́ Кля́това. Она́ отве́тила, что не зна́ет и никогда́ не ви́дела. Почему́ же она́ так растеря́лась? – Ну, извини́те, я пошёл. У меня́ ещё мно́го дел. Зна́чит, до за́втра.

Мы выхо́дим на у́лицу. Юра предлага́ет проводи́ть То́ню, но мы с Серге́ем идём в гости́ницу, что́бы обсуди́ть пе́рвый день суда́.

– Что мы мо́жем сде́лать? – говори́т Серге́й. – Говори́ть с Асла́новой? Если уж на суде́ она́ не призна́лась, что зна́ет Кля́това, почему́ она́ призна́ется нам? С друго́й стороны́, е́сли така́я мысль возни́кла, мы обя́заны её прове́рить.

– Мо́жешь ли ты разгова́ривать с Асла́новой? – спра́шивает он.

– Ду́маю, что могу́, – реша́ю я. – Я к суду́ отноше́ния не име́ю. Про́сто челове́к из пу́блики.

– Да, лу́чше тебе́ с ней поговори́ть, – соглаша́ется Серге́й.

Мне ско́ро удало́сь найти́ её а́дрес. Как раз, когда́ я стоя́л во́зле её до́ма, она́ подошла́.

— Здра́вствуйте, това́рищ Асла́нова, – сказа́л я.

Она́ останови́лась, ка́жется о́чень испу́ганная. Смо-
тре́ла на меня́ и молча́ла.

— Кто тако́й? Чего́ на́до? – спроси́ла она́ наконе́ц
расте́рянно.

Я почу́вствовал, что она действи́тельно винова́та в
чём-то. Мо́жет быть, впро́чем, она́ испуга́лась про́сто
потому́, что ве́чером её останови́л на у́лице незнако́-
мый челове́к. – Нет! Тогда́ она́ не молча́ла бы так
до́лго.

7*

Я бли́зкий друг подсуди́мого Гру́здева, – сказа́л я, – я хочу́ знать, где вы ра́ньше ви́дели Кля́това и почему́ вы об э́том ничего́ не сказа́ли на суде́.

– Ничего́ я не зна́ю, никако́го Кля́това не ви́дела, и отста́ньте вы от меня́! – ре́зко воскли́кнула она́.

Я́сно бы́ло, что, е́сли я не дам ей поня́ть, что мно́гое зна́ю, я ничего́ не добью́сь.

– Объясни́те мне, – сказа́л я, – при каки́х обстоя́тельствах, когда́ и где вы ви́дели до суда́ Кля́това и Петра́?

– Не зна́ю я никако́го Кля́това, – отве́тила она́, совсе́м уже́ неуве́ренно.

Она́ молча́ла. Коне́чно, она́ колеба́лась. Ещё небольшо́е уси́лие, и она́ пове́рит, что мне изве́стно всё, и́ли почти́ всё.

– Я говорю́ о Петре́, – о́чень уве́ренно сказа́л я.

– Не зна́ю я никако́го Петра́! – почти́ закрича́ла Ве́ра Асла́нова.

– Нет, зна́ете, – сказа́л я, – и расска́жете мне, каки́е он отноше́ния име́ет с Кля́товым, где вы их ви́дели вме́сте!

– Почему́ э́то я вам расскажу́?

– Потому́ что са́ми не смо́жете молча́ть, когда́ поймёте, что из-за ва́шего молча́ния мо́гут осуди́ть ни в чём не винова́того челове́ка.

Мы стоя́ли друг про́тив дру́га. Каза́лось, стоя́ли дво́е и споко́йно разгова́ривали.

– Хорошо́, – сказа́ла Асла́нова, – зайди́те ко мне, я расскажу́ вам, что зна́ю. И пусть меня́ бог прости́т, е́сли я хоро́шему челове́ку зло принесу́.

Мы поднялись на третий этаж. Асланова открыла дверь и дала мне войти вперёд.

– Я вам вот что скажу, гражданин, – сказала она, – не думайте, я скрыть хотела. Я суду мешать не хочу.

Если я обо всём этом ничего не сказала, так потому только, что Пётр Николаевич – человек хороший и в преступлении участвовать не мог.

– Пётр Николаевич? – сказал я себе, – это администратор кино.

– А что я Клятова видела – это верно. Дело вечером было, седьмого сентября, часов в одиннадцать. Пётр Николаевич уже уходить собрался, а тут Клятов пришёл, хотел поговорить с администратором, постучал в дверь. Пётр Николаевич и вышел. Мне показалось, что очень недоволен был, когда Клятова увидел. Клятов сказал: «У меня к тебе дело». И они вместе на улицу вышли.

– Они ушли тоже вместе, вы не видели?

– Нет, не видела.

– А ещё когда-нибудь вы видели Клятова?

– Вот сегодня увидела.

– Кто-нибудь, кроме вас, Клятова видел?

– Нет, не видел.

– А Пётр Николаевич, в каком костюме был?

– В летнем таком, светлом, серого цвета.

– А на следующий день Пётр Николаевич вышел на работу?

– Не знаю, отпуск у меня в этот день начинался.

– Вера Асланова, – сказал я, – вы должны завтра прийти в суд и сказать председателю Панкратову, что хоти́те что́-то доба́вить к ва́шему показа́нию. Вы ему́ расска́жете всё то, что рассказа́ли мне.

– Граждани́н, прости́те, не зна́ю, отве́тила Ве́ра Асла́нова, – мо́жет, у Петра́ Никола́евича неприя́тности бу́дут и́ли что . . .

– Нет, – переби́л я, – вероя́тнее всего́, Пётр Никола́евич ни в чём не винова́т, но на́до спасти́ невино́вного челове́ка. Суд до́лжен знать всю пра́вду.

– Но е́сли меня́ осу́дят за непра́вильные показа́ния?

– Ве́ра Асла́нова, – отве́тил я, – вам, наоборо́т, благода́рны бу́дут. О вас весь го́род бу́дет говори́ть, что вот добросо́вестная же́нщина пришла́ и всё как есть рассказа́ла.

– Хорошо́, – сказа́ла Ве́ра Асла́нова, – обяза́тельно приду́ за́втра в полови́не деся́того.

## ВОПРОСЫ

1. На кого обратила Вера Асланова внимание в кино?
2. Что удивило Гаврилова?
3. О чём спрашивает Панкратов у Кузнецова?
4. Почему два братика сразу же возвращаются в гостиницу?
5. Что они решают сделать?
6. Где один из братиков начал разговор с Верой Аслановой?
7. Признаётся она, что знает Клятова?
8. Что она рассказывает о Кузнецове и Клятове?
9. Чего она боится?
10. Она соглашается прийти в суд, или нет?

В десять часов утра вошла в кинотеатр «Космос» Валя Закруткина. Кинотеатр ещё не работал, а Валя пообещала зайти с утра к своему приятелю Пете Кузнецову, который работал в этом кинотеатре администратором.

Пётр и Валя уже в школьные годы влюбились друг в друга. Пять лет назад Пётр уехал в Москву и поступил в институт. Валя в это время окончила курсы и стала работать в сберкассе, в той самой, в которой работает и сейчас. Потом от Кузнецова почему-то долго не было писем. Наконец он возвратился домой и заявил, что «техника не его дело». Он бросил институт и больше заниматься не хотел. Потом начал работать администратором. Хотя и Петру и Вале до ужаса хотелось жить вместе, они не поженились.

Пока они сидели в небольшой комнате, позвонил телефон. Кузнецова ещё раз вызвали в суд!

– Опять вызывают в суд, – удивилась Валя.

– Опять, – сказал Пётр. – Не могу понять, что им нужно.

И вдруг у Вали даже сердце упало. Она поняла, что Пётр старается что-то скрыть от неё.

Часа через два Пётр опять стоит в зале суда; Валя сидит в заднем ряду, но этого Пётр не знает.

– У суда возникли некоторые неясности, – говорит Панкратов. – Вы говорите, что никогда не знали и не видели подсудимого Клятова. Посмотрите на него внима́тельно и скажи́те: так э́то и́ли нет?

– Да, – отвеча́ет Пётр, – я действи́тельно не ви́дел э́того челове́ка.

Пото́м Панкра́тов обраща́ется к Ве́ре Асла́новой:

– Скажи́те нам, вы зна́ете подсуди́мого Кля́това?

– Зна́ю, – ти́хо говори́т Асла́нова.

– Отку́да вы его́ зна́ете?

– После́дний сеа́нс шёл, когда́ он появи́лся и стал администра́тора тре́бовать.

– Како́го и́менно администра́тора?

– Вы, гра́ждане су́дьи, не ду́майте, – говори́т Асла́нова, – я про Петра́ Никола́евича ничего́ плохо́го не ду́маю.

– Так како́го же и́менно администра́тора хоте́л ви́деть Кля́тов?

– Кузнецо́ва Петра́ Никола́евича.

– И встре́тились они́?

– Встре́тились.

– Како́го э́то, зна́чит, бы́ло числа́?

– Седьмо́го сентября́, – отвеча́ет Ве́ра Асла́нова.

– Скажи́те, друг к дру́гу они́ обраща́лись на «ты» и́ли на «вы»?

– Пётр Никола́евич сказа́л: «Заходи́те». А Кля́тов ему́: «У меня́ к тебе́ де́ло».

– Свиде́тель Кузнецо́в, – спра́шивает пото́м Панкра́тов, – вы подтвержда́ете показа́ния Асла́новой?

– Нет, граждани́н судья́, я Кля́това здесь, на суде́, в пе́рвый раз уви́дел.

Панкра́тов обраща́ется к адвока́там. Есть ли вопро́сы? У Гаври́лова есть:

– Скажи́те, Кузнецо́в, у вас есть све́тло-се́рый ле́тний костю́м?

– Да, есть. То есть, был.

– А где он сейча́с?

– Я его́ про́дал.

– Почему́ вы его́ про́дали?

– Надое́л. И де́ньги бы́ли нужны́.

Гаври́лов продолжа́ет задава́ть вопро́сы Асла́новой:

– К Кузнецо́ву каки́е-нибудь знако́мые, же́нщины и́ли мужчи́ны, приходи́ли в кинотеа́тр?

– Так не по́мню. Ну неве́ста*, коне́чно, захо́дит ча́сто.

– Кто его́ неве́ста?

– Ва́ля Закру́ткина. Де́вушка така́я.

– Прихо́дит она́ днём и́ли ве́чером?

– Когда́ днём свобо́дна, то днём. А ча́ще – ве́чером.

– Где она́ рабо́тает?

– То́чно не зна́ю. Слы́шала, что в сберка́ссе.

Пото́м он обраща́ется к Кузнецо́ву:

– Скажи́те, Кузнецо́в, где рабо́тает ва́ша знако́мая Ва́ля Закру́ткина?

– Закру́ткина? удивлённо говори́т Кузнецо́в. – В сберка́ссе. Во́зле теа́тра.

Ока́зывается, в той са́мой сберка́ссе, отку́да Ники́тушкин взял шесть ты́сяч рубле́й!

– Скажи́те, Кузнецо́в, – продолжа́ет допро́с Гаври́лов, – вам говори́ла ва́ша знако́мая Закру́ткина, ка-

---

* неве́ста: де́вушка, кото́рая обеща́ет стать жено́й како́го-нибудь мужчи́ны

кого числа́ Ники́тушкин взял и́ли собира́ется взять де́ньги?

– Нет, коне́чно, не говори́ла. Она́ же не име́ет пра́ва говори́ть.

– Вы увéрены, что ни она́ и никто́ друго́й вам об э́том не сообщáл?

– Коне́чно, уве́рен, – равноду́шно говори́т Кузнецо́в. – Мы с ней вообще́ на э́ти те́мы ни ра́зу не разгова́ривали.

– Я прошу́ э́то записа́ть в протоко́л, – говори́т Гаври́лов. – Хочу́, чтобы допроси́ли рабо́тника сберка́ссы Валенти́ну Закру́ткину.

Лады́гин соглаша́ется.

Заседа́ние продолжа́ется ещё до́лго.

Панкра́тов, наконе́ц, объявля́ет переры́в до десяти́ часо́в утра́ сле́дующего дня. – –

Когда́ Ва́ля вы́шла на у́лицу, у неё немно́го кружи́лась голова́. Пётр врал, она́ э́то отли́чно зна́ет, чтобы скрыть свою́ вину́*. Но и её вину́. Неуже́ли Пётр уча́ствовал в уби́йстве? Отку́да он мо́жет знать Кля́това? Мо́жет быть, ему́ о́чень нужны́ де́ньги? Заче́м? Пётр получа́ет немно́го. Но он не пьёт. Одева́ется недо́рого.

Но́ги са́ми принесли́ Ва́лю к зда́нию кинотеа́тра. Пётр был у себя́, он говори́л по телефо́ну и показа́л Ва́ле на кре́сло. Они́ до́лго не могли́ нача́ть разгова́ривать.

– Заче́м тебя́ в суд вызыва́ли? – спра́шивает, наконе́ц, Ва́ля.

---

\* вина́: отве́тственность за непра́вильный посту́пок

– Глу́пое де́ло, – отвеча́ет Пётр, – ничего́ ва́жного.

– Заче́м ты мне врёшь – о́чень ти́хо говори́т Ва́ля. – Я сего́дня была́ в суде́ и слы́шала, как тебя́ допра́шивали.

– Я не хоте́л тебя́ волнова́ть и реши́л не расска́зывать, заче́м меня́ вызыва́ли.

Ва́ля ду́мала: Мо́жет быть, он и пра́вду говори́т, но она́ то́чно зна́ет, что Петру́ бы́ло изве́стно, когда́ Ники́тушкин взял де́ньги. Она́ ему́ э́то рассказа́ла.

– Нет, – продолжа́ет Ва́ля, – я винова́та и не побою́сь об э́том сказа́ть.

– Я тебя́ прошу́, Ва́ля, суду́ об э́том не говори́ть.

Ва́ля смо́трит на Петра́. Стра́шно ей бы́ло уви́деть, как он волну́ется.

Она́ встаёт с кре́сла.

– Пётр, – твёрдо говори́т она́, – прослу́шай меня́. Это о́чень серьёзно, то, что я сейча́с скажу́: Ты до́лжен меня́ поня́ть, Пётр, я хочу́ во что бы то ни ста́ло быть соверше́нно уве́ренной, что к уби́йству Ники́тушкиной ты не име́ешь никако́го отноше́ния. Я хочу́ сообщи́ть суду́ всё, что зна́ю. Если ты в са́мом де́ле не винова́т, чего́ ты бои́шься?

– Подожди́, Ва́ля, – говори́т Пётр, и Ва́ля слы́шит, что го́лос у него́ дрожи́т.

– Нет, – отвеча́ет Ва́ля, – до за́втра мо́жешь ду́мать. Но за́втра ты до́лжен прийти́ и сказа́ть, что про́шлые показа́ния непра́вильны. Ты знал, что шесто́го сентября́ Ники́тушкин возьмёт де́ньги в сберка́ссе. Если ты с утра́ не придёшь и не ска́жешь, что хо́чешь дать показа́ния – показа́ния бу́ду дава́ть я.

Че́рез не́сколько мину́т Ва́ля растеря́нно шла по
у́лице. –

У Кузнецо́ва меша́лись мы́сли в голове́. Что де́-
лать? Мо́жет быть, вы́йти сейча́с и пое́хать в аэро-
по́рт, взять биле́т куда́-нибудь.

Он да́же вздро́гнул. А е́сли его́ ждут в аэропорту́?
Он почу́вствовал, что он не мо́жет здесь бо́льше оста-
ва́ться ни на мину́ту. Он наде́л шарф*, пальто́ и
ша́пку и вы́шел. Он держа́л ру́ки в карма́нах, что́бы
случа́йно кто́-нибудь не заме́тил, как он дрожи́т.

О чём ду́мал Пётр, когда́ шёл по безлю́дной у́лице?

шарф

Может быть, он ни о чём не думал. Может быть он только чувствовал страшную судьбу, от которой не было никакой надежды освободиться.

Видимо, он гулял долго. В голове у него повторялась ещё и ещё раз одна и та же мысль: Надо кончать. — Так или иначе, шёл он к вокзалу и дошёл, когда был уже пятый час утра. Он вошёл в зал ожидания, взял в буфете стакан кофе. Он всё время понимал, что то, что будет, необходимо. Потом он вышел и долго ходил по перрону, он решил броситься под поезд, но всё-таки ни на секунду не верил в то, что сможет сделать этот последний шаг. Потом вернулся в вокзал.

А в девять часов поднялся и неторопливо пошёл в милицию.

— Я пришёл явиться с повинной*, — сказал он милиционеру. — Я участвовал в ограблении инженера Никитушкина в Колодезях и тяжело ударил по голове Никитушкина. Деньги, в сумме четырёх тысяч восьмисот рублей, находятся у меня дома.

— — —

Почти в то же самое время Закруткина в суде рассказывает о том, как она узнала, что Никитушкин возьмёт деньги, и как об этом рассказала Кузнецову.

Она всё время ждёт, что придёт Пётр.

И вдруг в зал входит милиционер, он подходит к столу судей и шёпотом что-то говорит им. Панкратов встаёт и объявляет перерыв на полчаса.

---

* повинная: признание в вине

Когда́ су́дьи опя́ть за́няли свои́ места́, Лады́гин встаёт и говори́т:

Допро́шенный вчера́ в суде́ свиде́тель Кузнецо́в Пётр Никола́евич сего́дня у́тром яви́лся в мили́цию и сообщи́л, что он с подсуди́мым Кля́товым седьмо́го сентября́ огра́бил кварти́ру Ники́тушкиных и касте́том уда́рил по голове́ Ники́тушкина Алексе́я Никола́евича. У Кузнецо́ва до́ма нашли́ четы́ре ты́сячи восемьсо́т рубле́й. Кузнецо́в сказа́л, что ты́сячу рубле́й он переда́л Кля́тову. Сто девяно́сто два рубля́ находи́лись у Кузнецо́ва в портфе́ле. Кузнецо́в та́кже переда́л мили́ции касте́т, кото́рым был ра́нен Ники́тушкин.

От того́, что показа́ния Кузнецо́ва ре́зко меня́ют обстоя́тельства э́того де́ла, я полага́ю, что оно́ должно́ быть возвращено́ на доследование*. –

Грозуби́нский то́лько встаёт и мо́лча наклоня́ет го́лову в знак согла́сия.

– – –

Когда́ ушли́ су́дьи, пу́блика торопли́во вы́шла из за́ла. В коридо́ре сра́зу начали́сь разгово́ры. В за́ле подсуди́мые по-пре́жнему сиде́ли пе́ред столо́м суде́й.

Пе́тька наш сиде́л соверше́нно неподви́жно, то́лько ти́хо пла́кал.

Юра встал, прошёл че́рез зал, подошёл споко́йно к Петру́ и пожа́л ему́ ру́ку, они́ обня́лись.

Пото́м мы жда́ли в коридо́ре, пока́ освободя́т Пе́тьку. Наконе́ц дверь из за́ла откры́лась и вы́шел Пётр. За ним вы́шел адвока́т Гаври́лов.

---

* доследование: реше́ние суда́, что бу́дет продолжа́ться сле́дствие

Афанасий Семёнович подошёл к Гаврилову, обнял его и поцеловал.

— Дурак ты, дурак, — сказал он громко, на весь коридор, — будешь ещё убеждать старика, что ты плохой адвокат?

## ВОПРОСЫ

1. Давно ли Пётр и Валя знают друг друга?
2. Чем занимался Кузнецов раньше?
3. Что рассказывает Асланова о встрече Кузнецова с Клятовым?
4. Кто довольно часто приходит к Кузнецову?
5. Где работает Валя Закруткина?
6. Что она хочет, чтобы Кузнецов сделал?
7. А что он на самом деле решает сделать?
8. О чём он думает на вокзале?
9. Куда он, наконец, обращается?
10. Что предлагает Ладыгин после признания Кузнецова?